D1133785

LO QUE SABEMOS DEL CIELO

Anna T. Villegas

Lo que sabemos del cielo

Traducción:
ROSA S. CORGATELLI

EDITORIAL ATLANTIDA
BUENOS AIRES · MEXICO

Adaptación de tapa: Aldo Ferrero

Título original: ALL WE KNOW OF HEAVEN
Copyright © 1997 by Anna Tuttle Villegas
Copyright © Editorial Atlántida, 1997
Derechos reservados. Primera edición publicada por
EDITORIAL ATLÁNTIDA S.A., Azopardo 579, Buenos Aires, Argentina.
Hecho el depósito que marca la Ley 11.723.
Libro de edición argentina.
Impreso en España. Printed in Spain. Esta edición se terminó de imprimir en el mes de agosto de 1997 en los talleres gráficos de Rivadeneyra S.A., Madrid, España.

I.S.B.N. 950-08-1783-7

CON GRATITUD A
Emily Dickinson;
Doris Michaels, por su fe en el manuscrito de Lodi;
Tom y Sandra McCormack, consumados editores;
y Addie, mi hija y mi musa.

El Corazón pide Placer —primero—
Y luego —Dispensa del Dolor—
Y luego —esos pequeños Anodinos
que amortecen el sufrimiento—

Y luego —ir a dormir—
Y luego —si ésa fuera
La voluntad de su Inquisidor
El privilegio de morir—

EMILY DICKINSON, 1862

Capítulo Uno

Al borde de mi pueblo, donde las caléndulas brotan en pelados neumáticos de tractor y las fachadas de estuco y ladrillo ceden lugar a las de tablones agrietados, veo que Hank Rodríguez ha derribado el álamo moribundo, tal como había prometido. En su lugar crece un lozano ciruelo sin frutos, perdidos hace poco sus pétalos, de una de cuyas ramas pende un barrilete de papel azul y dorado. Buena pareja.

En la parcela de cinco acres que eligieron Hedy y Tom Swanson, dos gordos ponis pintos pastan en el césped del frente, tan recién cortado que las huellas de la segadora forman bandas en el pasto mojado y los pequeños cascos de los ponis dejan un rastro mellado de medias lunas. Los mellizos han vuelto a dejar el portón abierto. Buena pareja.

En el pueblo, donde la línea irregular de la subdivisión es rechazada por el garboso esquema de las anchas calles viejas, Trevor Tuskes ha transformado en huerta su jardín delantero, pequeño como una estampilla. Tras la última helada de nuestro invierno tardío, lo vi sentado en el suelo, una de sus manos artríticas revolviendo la tierra negra y húmeda con un cuchillo de carnicero. Ahora las tomateras lucen flores amarillas con forma de estrella. El mes que viene, los globos verdes y compactos prometerán un festín. Sé que, si paso por aquí en agosto, Trevor me pondrá en las manos una bolsa de bruñidos frutos rojos. Buena pareja.

Me agrada el placer que acompaña a la armonía entre una casa de carácter y un comprador que la merece. Después de haber cerrado una venta, año tras año paso con el auto ante mis viejos ítems de venta para estudiar las modificaciones realizadas por sus ocupantes, los herederos de mi labor artística. ¿He asociado bien a los compradores y sus casas?, quiero saber. ¿Los hijos de quién se han vuelto tan numerosos que la casa necesita una refacción? ¿Quién ha renunciado a la interminable tarea de cortar el césped en verano y ha convertido su jardín delantero en el pedregoso lecho de un río? ¿Quién ha sufrido los infortunios que ventilan los carteles de "EN VENTA" de otra empresa inmobiliaria?

Vender casas es un arte delicado.

Yo lo practico bien, mejor que la mayoría de las cosas. Aprecio el lenguaje del oficio, el simbolismo inherente al matrimonio de una persona con una vivienda. Me gusta descifrar a la gente y desposarla con paredes que expresen sus personalidades. Me enorgullezco de mi arte: la disposición de las posibilidades en esplendor ascendente, un ojo rápido que capta la preferencia de un comprador por las habitaciones pequeñas antes que las grandes, el murmullo perfectamente oportuno de un adjetivo reticente… todo lo cual requiere la suave coreografía de una casamentera, una casamentera que no sufra presiones de tiempo.

Los Walters no son una buena pareja para la casa Leland. Lo sé en el instante en que Tammy Walters protesta con voz chillona.

—No es un muro maestro —gruñe Phil Walters, de rodillas, ya que ha bajado su físico considerable para levantar la madera laminada de la década de los 50 de lo que ha de seguir siendo, debida y eternamente —me juro—, la pared de una despensa.

—Querido… —Tammy se agacha a canturrear al oído de su marido. —Si no es un muro maestro, ¡significa que podríamos derribarlo y hacer un pequeño rincón para comer!

Se vuelve a guiñarme un ojo entre mechones de un flequillo con permanente.

—¿No quisiste siempre un rincón así? ¡Siempre soñé con vivir en una casa que tuviera un pequeño comedor en la cocina!

—Encantador —digo, y me aparto del corderoy del trasero de Phil y la visión aún más horrorosa de un empapelado de pesadilla, cubierto con docenas y docenas de gansos engalanados con cintas. ¿Mi casa preferida? ¿Profanada de este modo? Mientras me alejo de la cocina hacia el recibidor original, donde no pueden oírme, murmuro entre dientes lo que más tarde le gritaré a Zoey en la seguridad de mi oficina: que sólo un cretino convertiría en un rincón para comer una despensa espaciosa perfectamente utilizable.

Zoey es mi meticulosa secretaria y mi crítica más benevolente. Sostuvimos un diálogo prolongado pero amable con respecto a mi malograda venta —el término que emplea Zoey es "descarga"— de la casa Leland, de la calle Tryon. El debate comenzó cuando me puse firme y me negué a permitirle que hiciera cortar el pasto ya muy crecido del terreno. Nada de "hermoseamiento", argumenté.

—La vendedora eres tú, Dolo —insistió Zoey—. Es una venta sucesoria. Debes vender la propiedad. Los herederos de la tía Emmabelle no van a venir de Buffalo a barrer los pisos por ti.

Cerró de golpe el cajón de un archivo y me miró.

Me acerqué y le quité un pelo rojizo del cuello de la blusa.

—No hace falta limpiarla, Zoey. De eso se trata. Mírala bien, es una clásica construcción Reina Ana… No quedan muchas en este valle. Quiere un dueño que mire más allá de lo cosmético, que vea su potencial. Me niego a dejarla en manos de alguien incapaz de eso. Me niego.

Tengo razón, por supuesto. La casa es soberbia, incluso en su abandono. Llama la atención con la gastada elegancia de una persona venida a menos cuya coquetería apenas escapa al mal gusto. Y es única, una copia idéntica de una segunda casa que habían levantado en su cara norte. En 1893, un tal juez Johnson Leland construyó ambas casas para sus hijos, según contaba la historia, y exigió que cada tablón y cada centímetro de papel tapiz fueran semejantes hasta en los mínimos detalles, como para mitigar cualquier sospecha de favoritismo. La ubicación exactamente opuesta de ambas viviendas en la calle Tryon explica algo que parece un desequilibro en el diseño de la casa sobreviviente. La curiosa torre solitaria que se eleva a partir del gablete de la esquina, que resguarda el porche redondeado ubicado sobre la izquierda, hace que toda la estructura parezca media casa, como si alguna mano grande la hubiera derribado por el medio para ajustar una vieja cuenta. Cuando estudio la casa, la veo unida al espectro de su imagen gemela, demolida en la década de los 30 para dar paso a un *bungalow* de una sola planta. A menudo he reflexionado que, si las casas sintieran, la casa Leland sería rondada por la ausencia de su desaparecida compañera, igual que, según dicen, los viejos soldados perciben el fantasma de un miembro amputado. Pero cuando muestro la casa, si un comprador sugiere que la simetría quedaría realzada con la construcción de una segunda torre, enseguida llevo la conversación hacia la exposición franca de la extensiva podredumbre de las maderas y los accesorios eléctricos anticuados. Yo sí tengo escrúpulos.

Y la casa ofrece hermosas posibilidades. Tiene caprichosos trabajos torneados que bordean la imposta, y cristales redondeados en las ventanas de las torrecillas, y densos arreglos ornamentales de lirios azules y negros. ¿Y qué si el entarimado del porche tiene un pronunciado sesgo hacia el este? ¿Y qué si una lámina de madera terciada ocupa el lugar del cristal faltante de la puerta de entrada? ¿Y qué si la descascarada pintura amarilla cae como capullos marchitos en los macizos de flores? El comprador adecuado —estoy segura— verá sólo las posibilidades de la casa Leland. Y al comprador inadecuado —estoy igualmente segura— hay que aislarlo sin piedad.

La tía Emmabelle Leland ha dejado la casa en un estado de sumo abandono. Zoey tenía razón cuando se refirió a los herederos: no los hay. La tía Emmabelle partió de Woodland al más allá sin haberse casado. Los primos distantes de Buffalo mostraron poco interés por su propiedad de California, y Terry Tanako, el abogado de la familia, que vive en Sacramento, me dijo: "Tómese el tiempo que necesite".

Es lo que estoy haciendo. Aunque no dejé que Zoey enviara a Brian y Hortencia Ochoa —nuestro equipo de limpieza—, he adquirido el hábito de recorrer el jardín, una espesura selvática de plantas perennes demasiado crecidas que resulta un oasis incluso en el calor sofocante del valle. Un gran jazmín trompeta cargado de conos rojos aflautados enrosca un tronco del tamaño de un brazo alrededor de la barandilla del porche y sube por los pilares. En los macizos ovales de cada lado del sendero de acceso, de ladrillo, crecen tréboles y aguileñas doradas. Yo —que nunca me acuerdo de regar un *pothus* hasta que las hojas caen en total desesperanza— me descubro, una tarde de abril, comprando una manguera para jardín y estiércol de vaca en el vivero de Makado. Y pronto comienzo a pasar por allí a última hora de la tarde, para regar los macizos, en la sombra vaporosa, subyugada por las flores y su empeñosa perseverancia, la resistencia de su fe ciega en que alguien cuidará de ellas. La semana pasada me sorprendieron los capullos rojo sangre de los ranúnculos, que asomaban por entre las delgadas espirales de los despojos que fueron dejando a lo largo de varias estaciones los tallos de las campanillas. Cuando me agaché para despejar los nudos de las enredaderas, vi que Trevor Tuskes subía por el sendero apoyado en su bastón.

—Traigo unos bulbos de anémonas —dijo abruptamente—. Empápelos en agua durante la noche, y después entiérrelos a unos dos o tres centímetros. Quedan muy lindas; se multiplican como locas. Pero hay que mantenerlas mojadas.

Luego se fue, siempre apoyado en su bastón, de vuelta por los ladrillos curvos, mientras yo abría la arrugada bolsa de papel marrón y sacaba los bulbos de anémona, unas tuberosas marrón oscuro que descansaban en mi mano como bolitas deformadas.

De modo que riego el jardín y custodio los colores de la primavera, pero he dejado la pintura descascarada y los vidrios rotos. Le explico a Zoey que el estado ruinoso de la casa Leland es una prueba. Quienquiera que pase la prueba se quedará con la casa; así de simple.

La repetida refutación de Zoey es que no poseo una mentalidad lo bastante comercial, que no respeto seriamente los fines de lucro.

—Bueno, Zoey —le dije con condescendencia hace unos días, mientras tamborileaba con los dedos sobre la pantalla de la computadora donde acababa de buscar una vivienda con dos dormitorios que valiera menos de noventa y cinco mil dólares—. Nómbrame una inmobiliaria de este pueblo que gane más que nosotras… Nómbrame una.

Hizo girar su silla, de modo que quedé hablando con su espalda, y marcó unos números en el teléfono.

—Nómbrame una.

No pudo. A pesar de mi secreta propensión a la malicia y mi desmedido elitismo en cuestiones de gusto, sé vender casas. Se trate de una primera vivienda barata en la subdivisión Sunwest (elija el color de la alfombra: azul, verde u oro) o de una estilo *ranch* de mil metros cuadrados con dependencias para huéspedes y amplio espacio para autos, puedo encontrar compradores. No compradores cualesquiera, sino aquellos que, años más tarde, recuerden con afecto la absoluta convicción con que los guié a la casa que les ganó el corazón. Trabajo con la captación de lo concreto propia de los poetas y un instinto para descifrar detalles. Puedo prever, por ejemplo, que un marido y una esposa que usan zapatillas Nike blancas invariablemente comienzan la refacción por el bar… Tales ecuaciones me parecen evidencia de un esquema cósmico en el cual cada ser humano cuenta con una contraparte perfecta. El lenguaje con que describo una propiedad a un cliente adinerado es diferente del que uso para tentar a un empleado. Los maridos que procuran tres garajes quieren siempre jardines que necesiten pocos cuidados. (¿Por causalidad conozco el nombre del jardinero del dueño anterior, dicho sea de paso?) Aunque gano las piadosas reprimendas de Zoey por mis caracterizaciones crónicamente crueles, sé lo que quiere la gente. O, por lo menos, lo que debería querer.

Los Walters no quieren la casa Leland, estoy segura.

—¿Por qué no miramos la bodega? —le sugiero a Phil Walters, que golpea el oxidado sifón de abajo de la pileta de la cocina. Deseo preguntarle si también suele patear llantas, pero pienso en Zoey y me limito a sonreír con dulzura.

—Creo que querrá hacerse una idea de cuántas reparaciones hacen falta, Phil. A veces, a estas casas viejas hay que reconstruirlas desde los cimientos para arriba.

Tammy Walters toma a su esposo de la mano.

—Eso era justo lo que queríamos, ¿no, bebé? —Se vuelve hacia mí. —Cuando veníamos, Phil y yo comentábamos que queremos algo que podamos modernizar… Mi cuñado es carpintero, ¿no? Él y Paul podrían trabajar los fines de semana… Sería como acampar, ¿no, querido?

—¿Vivirían aquí mientras remodelaran? —Pronuncio las palabras en tono lento, incrédulo. Suspiro y abro la puerta de entrada, que se arrastra dibujando un abanico en el parqué. Me agacho para raspar con una uña las tablas de roble.

—Estos pisos viejos dan tanto trabajo… —Ahora empleo un tono de disculpa, hablo con Tammy de mujer a mujer. —Uno vive lustrando o barriendo o barnizando… Pero vale la pena con tal de tener una casa antigua, ¿verdad?

Tammy arruga la frente.

—Tal vez pudiéramos colocar una alfombra de pared a pared.

Phil zapatea en el entarimado del porche, en un ritmo de uno-dos-tres.

—Oh, cuidado, Phil. —Le tomo el brazo. —No querrá caer al otro lado… Allá abajo las vigas están un poco flojas.

Le digo a Phil que los reglamentos urbanos les prohibirán pavimentar el jardín delantero de modo que él puede estacionar su auto junto al Suburban de Tammy. Y que en el alero oriental hay dos hileras de tejas resquebrajadas. No me resulta necesario mencionar las cañerías. Cuando llegamos a la acera, Phil y Tammy Walters han perdido la mayor parte de su entusiasmo por la arquitectura victoriana.

La gira por el sótano es prescindible, pero, después de todo, me propongo hacer una venta.

—En Brookside hay una casa que creo que les gustará. Tiene una interesante plataforma elevada en el dormitorio principal.

Voy hasta el Buick de la empresa y abro la puerta del pasajero para que suba Tammy.

—¿Puede mandar un poco de aire acá atrás? —pide Phil desde el asiento posterior mientras aparto el sedán del cordón.

—Claro. —Levanto el vidrio de mi ventanilla y enciendo el aire acondicionado.

—¿Sabe, Phil? Es casi imposible instalar aire acondicionado en esas casas antiguas de dos plantas. Les convendría ver algo más nuevo… ¿Probamos el sábado próximo? Algunas de las casas más viejas de Brookside tienen cocina con comedor.

Tammy tiende una mano hacia el asiento de atrás para estrechar la de Phil.

—Lo que quiera la esposa está bien para mí.

—Entonces quedamos para el sábado.

Mientras, sentada en el Buick, observo a los Walters alejarse de la oficina en su Suburban negro, veo que el lugar para la chapa de la patente está vacío y me mira con la sonrisa de un aturdido ganador de lotería. Tomo nota mental para repasar, antes del sábado que viene, los ítems de Brookside que ronden los doscientos mil dólares. Para algunas personas —considero sin envidia—, el dinero puede comprar la felicidad. Para mí, parece que sólo ha comprado un desvaído romance de siete años con Henry Talmouth, magnate de los seguros, romance al que hoy pongo punto final.

Guardo el Buick en el garaje de la empresa y bajo al sol. Alzo una mano para indicarle a Zoey que he terminado por esta jornada, y enfrento mi reflejo en la vidriera del frente de la inmobiliaria. Mi cabello ondulado se ha soltado de la hebilla para formar un halo dorado alrededor de mi cabeza. El vestido suelto que elegí con esmero esta mañana realza mis piernas esbeltas. Si me quito los anteojos recetados, creo que puedo entreverme a los veinte años, volver a vislumbrar a la Dolores Meredith que era antes de Henry

Talmouth, antes de comenzar a comprender, en forma inexorable, que nunca, en toda mi vida, he conocido a un hombre a quien pudiera llamar "bebé" y que a su vez me llamara "la esposa". ¿Qué ve Henry Talmouth en mí?, me pregunto. ¿Mis ingresos de seis dígitos, que aquietan su conciencia cuando me deja de lado por la esposa y los hijos? ¿Mi habilidad para olvidarlo durante días y días, de modo que nunca tiene que temer la llamada telefónica inoportuna que invada su otra vida privada? ¿O, sencillamente, que mis expectativas con respecto a él son casi inexistentes?

Mis pensamientos adquieren un giro malsano mientras cruzo la calle hacia el nogal bajo el cual he estacionado mi viejo Volvo, modelo 77 —mi primer auto—, que compré después de terminar la universidad y trabajar durante dos años, ganando buenas comisiones, con Parker, Aubrey & Downes. No me proponía convertirme en una *yuppie* avara, pero de algún modo, después de mi proyecto de tesis, los años han pasado sin diversión y, bueno, aquí estoy, apegada a un armatoste que me recuerda que en otra época deseaba cosas diferentes.

Abrigaba esperanzas, para comenzar, de tener un marido y una familia a esta altura de mi vida, antes de que el tictac del reloj biológico me empujara de manera irrevocable hacia una condición que comparto de mala gana pero con resignación con la tía Emmabelle. Esperaba que la temprana promesa de mis cursos de Letras me habilitaran para llevar una existencia literaria, pero no fue así. Vuelvo a sentir el mismo estremecimiento de entonces cada vez que recuerdo la tarde en que el doctor Chalmers, mi asesor, me llamó a su oficina y pronunció su opinión —yo estaba pendiente de cada una de sus palabras— sobre mis poemas. Sostenía mi manuscrito, redactado con sumo cuidado en la vieja Smith-Corona con que papá me había enviado a la universidad después de bautizarla con su fe: la Emily Dickinson de la Costa Oeste del siglo xx, me llamó. Al doctor Chalmers le costaba volver a encender su pipa. Fijé la vista en sus manos, en sus dedos fuertes y el cabello negro y grueso que parecía más apropiado para un carpintero que para un académico.

—Estos poemas son admirables, Dolores. Un trabajo bueno y sólido. Mereces una A, y eso es lo que recomendaré.

No tenía que decir más. Sabía que, si hubiera habido más que decir, lo habría oído. Él era un erudito y un hombre benévolo, y trató de templar mi decepción alentándome a dedicarme a la docencia. Me desenvolvería bien en el aula, predijo. Era buena lectora y buena crítica, agregó. Cuando consideré la idea de desafiar su predicción, cuando imaginé la yerma perspectiva de vivir en forma precaria con la compañía de mi Smith-Corona y las cartas de rechazo que sin duda vendrían, me retiré. No a un aula —habría sido deprimente—, sino a evaluar mis talentos. Casi veinte años después, me he transformado en una vendedora de metáforas y simbolismos, de hipérboles y frases ambiguas. Me ha ido muy bien, y he aprendido a esperar cada vez menos.

No esperaba a Henry Talmouth, pero lo tuve. Abro las puertas del Volvo para que el poco viento disperso que pueda haber despeje el calor comprimido. El aparato de aire acondicionado se descompuso, y, obstinada, lo he dejado así, lo mismo que la manija de la puerta del lado del acompañante y el odómetro. Me gusta la sensación despojada de la reducción, la levedad que siento cuando la gente exclama: "¡Pero vendes casas! ¡Y vives en un departamento alquilado!". De algún modo que mi dicción no puede articular, mis excentricidades me mantienen fiel a mí misma y a la poeta que una vez quise ser.

Quitarme de encima a Henry Talmouth me da la misma levedad, una sensación de flotar que me lleva a un negocio de tabaco y bebidas a comprar una botella de buen Chianti y luego me conduce de vuelta a la casa Leland, donde tomo la llave de la puerta y entro. El recibidor atrapa la luz del sol poniente, que brilla entre los olmos que bordean la calle Tryon y motea el hogar con dibujos móviles de luz y sombra. La casa todavía conserva el cálido olor almizcleño de todo un siglo; pienso que el aire quieto es sofocante de una manera confortadora, la misma manera como me confortaba, de niña, meterme dentro de mi bolsa de dormir y respirar el vaho tibio de mi propio aliento.

Revuelvo el interior de mi cartera y encuentro mi navaja del ejército suizo. Mi hermano mayor me la regaló después del funeral de papá. Dos de las hojas fueron cortadas por Todd en su adolescencia, aplicadas a algún uso ilegal, sin duda, pero el sacacorchos sigue siendo confiable, y la navaja es un regalo cuyo simbolismo salvaguardo mediante el uso constante.

Hicimos el velatorio en la antigua casa de Sacramento, el edificio de dos plantas donde Todd y yo nos criamos, sin madre pero queridos. Volamos juntos desde nuestras respectivas facultades, en la Costa Este, para enterrar a nuestro padre. El único recuerdo específico que guardo de las dos semanas durante las cuales Todd y yo dispusimos de nuestra herencia es del día en que mi hermano me sorprendió clasificando la vajilla de mi madre.

—No quiero nada de esto —le dije, inmersa en un pequeño mar de diarios arrugados y tazas de té apiladas—. Me siento culpable, pero no lo quiero. —Toqué la filigrana dorada del borde de un tazón frágil que nunca, en toda mi infancia, permitió que lo manchara un roce de comida.

—Regálalo, Do. No importa. A él no le molestaría. —Entonces me abrazó, mi hermano mayor, y me puso en la mano la navaja, mojada de lágrimas.

—¿Recuerdas los veranos en Donner? ¿Recuerdas que él nos dejaba comer lo que quisiéramos, siempre que fuera algo enlatado? —Todd me mecía contra sí.

—Salchichas de Viena y espaguetis —le respondí.

—Aquellas deliciosas salchichas de Viena —dijo Todd—. Quédate con la navaja en lugar de la vajilla.

Me la quedé, y con ella el recuerdo de mi padre, un hombre capaz de alzar en los hombros a su hija de cinco años y caminar seis kilómetros por la Sierra alta, sin parar. Un hombre cuyos cuentos a la hora de acostarnos tendían a ser estentóreos recitados de *El paraíso perdido*. Un hombre que sólo exigía a sus hijos que vivieran felices y convirtieran el mundo en un lugar mejor. Un hombre con el cual mido a todos los otros hombres y a quien temo haber fallado de algún modo que él jamás admitiría.

—Oh, papá —digo, cruzada de piernas en el polvo del estropeado piso de roble—. Me has mimado mucho.

Hago girar el sacacorchos y pedazo a pedazo quito el tapón de la botella de Chianti. Antes de beber de la copa de plástico, usada, que encontré en el baúl del Volvo, retiro los trozos de corcho que flotan en la superficie.

—Tal vez no sepa abrir una botella de vino —brindo con el aire—, pero seguro que sé vender una casa.

Entonces sé que voy a llorar.

Henry Talmouth no es un mal hombre. No me ha usado en ninguna forma que yo no haya permitido. Sabe ser obsequioso, sabe ser gracioso, maneja autos muy lindos… pero no es "el" hombre. Antes abrigaba esperanzas de que lo fuera. Antes me engañaba pensando que tal vez lo era, pero cuando la relación se transformó en hábito e incluso el ilícito *tête-à-tête* se tornó predecible, la triste verdad resultó ineludible.

No estoy y nunca he estado enamorada de Henry Talmouth. Henry Talmouth no lee nada más que *Kiplinger*. Henry Talmouth prefiere los muebles de acero y cromo a los de caoba. Henry Talmouth piensa que yo debería cortar mi cabello indócil. Henry Talmouth no me hace feliz. Durante los últimos dos años me he conformado con la conveniencia. Ahora me parece preferible la soledad.

Me sirvo una segunda copa de vino y me apoyo contra el tibio entarimado de roble. Me ruedan lágrimas por las mejillas. Deben de estar formando charquitos polvorientos en el piso de mi casa más venerada. La casa Leland se halla en suma quietud, salvo el dibujo bailante de la luz del sol sobre la pared del hogar. Cruzo las manos sobre el pecho y cierro los ojos.

Para mí he elegido una mala pareja.

Capítulo Dos

No me será difícil dejar la ciudad de Nueva York.

Calzada en el marco del espejo del viejo tocador de roble de mi departamento de Manhattan, guardo una fotografía ajada de un muchachito alto, de barba oscura. Está encaramado en una roca gris junto a un grupo de pinos enormes. Sobre los hombros lleva una abultada mochila verde de campamento, de la que cuelgan una taza de lata esmaltada azul, las varas deterioradas de una caña de pescar y una bolsa de plástico, fláccida por el peso de un libro de tapas duras que contiene. Detrás del muchacho, un borde rocoso de la Sierra se perfila en el óvalo espejado de un lago alpino. El que tomó la foto ha hecho una buena broma. El muchacho bronceado sonríe a la cámara, como si estuviera entrando en el país más hermoso del mundo.

Ese muchacho soy yo. La fotografía fue tomada por mi padre en el otoño que dejé Woodland para ir a Dartmouth, dos semanas antes de que él muriera de manera rápida, profesional, ante su escritorio en los Laboratorios Sutter, adivinando su propio destino en el sombrío agar-agar de sus placas de Petri, su cabeza cada vez más y más gacha. Habíamos atravesado el paso Donner hasta la Brecha del Emigrante tras ocho días de recorrido. El mundo yacía ante mí, le dije a mi padre, "como una comarca de sueños". Dos semanas después de que la luz del sol se filtrara por la abertura del diafragma y fijara para siempre mi esperanzada imagen en la película —incluso antes de que mi madre tuviera tiempo de retirar las fotografías reveladas en la farmacia de Woodland—, mi padre, Daniel Barclay, había muerto.

La foto me acompañó a Dartmouth, donde la usé para borrar el irrazonable conocimiento final que tomé de la muerte prematura de mi padre, la profecía de Matthew Arnold convertida en carne mortal. Me acompañó a la Facultad de Derecho de Yale, donde me gradué sexto en mi clase y llegué a creer que el mundo legal ofrecía arenas no movedizas en un universo donde todo lo demás es engañoso. Me acompañó al departamento de dos ambientes del Greenwich Village donde viví durante los tres años en que fui secretario del juez federal Amos Thomas Jefferson, y de nuevo me acompañó cuando me mudé al norte y llegué a ser el abogado asociado más joven de historia en el estudio jurídico de Vickers y Mallory, Inc., especializado en derecho empresarial. A un tiempo talismán y estigma, la fotografía del muchacho sonriente al borde de la adultez me atrae hacia el oeste, me lleva a casa. A los cuarenta y un años, he resuelto que por fin soy lo bastante adinerado y solitario como para renunciar a Nueva York y regresar a California.

—Señor Austin, teléfono para usted.

Lupe abre la puerta del dormitorio, en cuyo umbral yace una caja medio llena de pulóveres enmarañados.

—No puede empacar así estas cosas —me reprende—. Atienda en el teléfono de la cocina, que lo haré yo.

Me levanto del baúl de cedro, sobre el cual me hallaba sentado mientras arrojaba pulóveres y camisetas abollados en las fauces de las cajas que cubren el piso de mi dormitorio. Lupe tiene razón: no soy muy hábil para empacar.

—Ah, Lupe... ¿Qué hará cuando ya no pueda retarme?

La abrazo, a esta mujer menuda que ha sido mi ama de llaves y consejera espiritual durante más de una década. Ella me cura la compasión por mí mismo con mole de guajolote, reprende mis hábitos descuidados con el abandono del idioma español, y sólo una vez, durante el acoso fatal que sufrió mi madre a manos de un cáncer de ovarios, me estrechó contra sí y me susurró: "M'hijo, m'hijo, m'hijo". A Lupe la extrañaré más que a nadie en Nueva York, pero ella se niega a considerar la posibilidad de ir conmigo al oeste.

—Jubilarme, eso es lo que haré. ¡El teléfono, señor Austin!

—Bueno, ya voy...

Tomo el teléfono en la inmaculada cocina blanca de Lupe, donde unas ventanas altas de marco de aluminio se abren al panorama de las copas de los árboles de Central Park. No hay comparación con la vista del lago Spaulding desde la cima de la montaña Brady, pienso con una oleada de expectativa. Y no echaré de menos la deshonesta película de hollín de las calles urbanas, ni los taxistas belicosos, ni el zumbido incesante de la automatización en todas partes, tanto adentro como afuera. Me pregunto cómo he vivido tanto tiempo en esta ciudad arquetípica, cuando corre por mis venas sangre de granjeros californianos.

—Austin. —El grito cordial de Jack Mariani en su despacho me llega por los cables. —Esta tarde jugué racquetball con un par de tipos de la Facultad de Derecho de la ciudad… Me dicen que en el valle de Sacramento hay un decano muy contento…

—Han contratado a un empleado muy contento de Nueva York.

—¿Y te vas la semana que viene, no más?

—Así es. —Aparto con la mano libre la procesadora de alimentos de Lupe y la muevo por la mesada blanca; luego vuelvo a ponerla en su lugar y contemplo la vista del parque. —Por supuesto que no estoy ansioso por dejar el estudio… pero no puedo decirte que lamento mi decisión, Jack.

—Entonces no podrías hallarte en mejor posición. Aunque te valoramos mucho… Bueno, ya me has oído pronunciar este discurso. No te llamo para fastidiarte. Clair quería que confirmara la cena del veintisiete.

—La tengo anotada en mi agenda. ¿A las siete?

—A las siete, sí. Clair dice que pasaremos a buscarte. Y, ¿Austin?

—¿Jack?

—Cuentas con nuestra bendición, ya lo sabes.

Jack Mariani tiene la costumbre de darme su bendición. Hace siete años, durante la fusión Randco-Temtech, a causa de la insistencia de Jack y respaldado por su firme y paternal fe en mis capacidades, asumí el puesto de abogado principal de la firma cuando Delbert Mallory sufrió un serio ataque cardíaco tres días antes de pronunciar nuestro alegato en la cámara de apelaciones. Triunfó el alegato del estudio, Jack abrió sus puños nerviosos, y yo continué manejando los litigios más problemáticos de la firma. El año pasado, de nuevo por insistencia de Jack, volví a escribir un documento legal para incorporar un análisis de la opinión del tribunal. El *Harvard Law Review* publicó el artículo, el decano de la Facultad de Derecho de la Universidad Davis vio mi trabajo y me hizo una oferta, y ahora soy un ex abogado en ejercicio que regresará a las aulas como docente. En una ironía circular que Jack fue el primero en reconocer: él puso en movimiento los medios por los cuales retorno ahora a California y dejo Vickers y Mallory. Que él se haya mostrado por entero benevolente a lo largo de todo el proceso significa una gran bendición, y se lo he dicho.

Apoyo la frente contra el vidrio frío de la ventana de la cocina. Mi elección ha caído en el momento justo, la coalescencia de la oferta para enseñar Leyes y las inquietudes de un deseo largamente enterrado de embarcarme en el dar y tomar más humano de las aulas de la Facultad de Derecho. La balanza se inclinó cuando consideré el contraste entre la textura de la vida cotidiana en el Upper East Side y en un pueblo como Woodland. Una vez que se me dio la oportunidad de imaginar la vida en California, me permití anhelar lo que mi memoria parecía haber olvidado, aunque no mis sentidos: el olor picante de la alfalfa recién cortada en el valle, el crujido satisfactorio del esquisto bajo una bota, la compañía de los lugareños que habían permanecido allí durante generaciones y podían rastrear mi genealogía de manera tan precisa como la de ellos.

No logro recordar cuándo fue la última vez que pasé

un fin de semana de campamento... Y no sé si poseo una mochila. Aunque hace años que corro, mi piel conserva una palidez de Wall Street, porque la única hora a la que mi jornada laboral me permite correr es a las cinco de la mañana, cuando un grupo de otras personas silenciosas y yo tomamos por los senderos del Central Park. Las actividades del estudio no dejan lugar para pasar fines de semana en las montañas. En los últimos tiempos he comenzado a evocar recuerdos de mi padre, del físico musculoso que suscitaría la aprobación de hasta la más rigurosa policía sanitaria contemporánea. El tiempo lo superó, según llegué a comprender, simplemente porque el laboratorio le robaba muchas horas vitales a la verdadera ocupación de vivir. Echaré de menos a Jack, pero la decisión es la correcta.

En abril, cuando volé a California para entrevistarme con el cuerpo docente de la Facultad de Derecho, alquilé un Toyota en el aeropuerto de Sacramento y tomé por la ruta interestatal 5 hasta el pueblo en que me crié. La periferia de Woodland se extiende en franjas comerciales anchas y chillonas, muchas propiedad, sin duda, de empresas para las que yo he litigado. Pero el corazón del pueblo, más prolijo que lo que recordaba, ha sido restaurado con reverencia histórica. Estacioné el Toyota en la calle Avery, frente a la casa de Caitlin Lamb, reviviendo un hábito que repetí durante todo mi último año de la escuela secundaria cuando esperaba a mi chica, la más linda de la secundaria de Woodland y el único amor serio de mi vida.

Estábamos sentados en el mismo sitio cuando Caitlin se volvió hacia mí, se retiró de los ojos los mechones rubios y me dijo con tono solemne que, cuando yo me fuera a Dartmouth, ella iba a trabajar en la Empresa de Cañerías y

Perforaciones de Hansen, y era probable que, para cuando yo regresara, se hubiera casado con Kenny Hansen. Su predicción fue exacta, salvo que después de la muerte de mi padre y el nuevo matrimonio de mi madre yo no regresé hasta pasados casi veinte años. De algún modo Caitlin hacía de catalizador de la misma química de carácter que había reconocido y temía en mí: la seria y constante aplicación a la tarea que alejó a una mujer pero me convirtió en el as del derecho empresarial. Cuando volví en abril me pregunté, como me pregunto ahora, si el hecho de que Caitlin hubiera tomado una decisión diferente habría alterado mi curso, si estaríamos juntos todavía o amargamente separados. Me pregunto también si retorno a Woodland en busca de una segunda oportunidad, la de recobrar la expectativa que abandoné cuando Caitlin se volvió hacia mí y me apoyó una mano suave en la rodilla, aquella tarde.

Lupe me arranca sobresaltado de esta ensoñación al tocarme el hombro.

—¿Sándwich de pavo? ¿Ensalada de maíz? ¿Tarta?

—La ensalada está bien. —Me aparto de la ventana.

—¿Puede encontrarme el esmoquin, Lupe? La cena es la semana que viene…

—Está colgado en la puerta del armario. En una bolsa de plástico. —Lupe me aleja de la puerta de la heladera.

Mientras me hace marchar de la cocina, me la imagino parada en el sofá para alcanzar mi corbata de moño, que alineará a la perfección con la flor blanca para el ojal, que recordará encargar a Flores Fiamma. A Lupe sí la extrañaré.

Clair Mariani ha hecho reservas en el Bagatelle para mi cena de despedida. A su manera perceptiva pero rebuscada, dispone la velada de manera que ella y Jack pasen a buscarme. Para ella, según he descifrado hace mucho, soy un soltero incorregible, imposible de casar: callado en los momentos errados, locuaz cuando una conversación exige un silencio, por completo desprovisto de gracia en lo relacionado con el romance. Al llegar con el invitado de honor, que pronto será residente del Salvaje Oeste, Clair se ha liberado del deber de encontrarme una última acompañante conveniente, a mí, un hombre que, como le comentó una vez a Jack ante una *crème brûlée* para cuatro, no tiene la menor idea de las reglas del galanteo.

—Tal vez no le interese —me defendió Jack en aquel momento.

—Tal vez sea un orador legal sin el menor indicio de cómo hablar a las mujeres —replicó Clair—. ¿No puedes enseñarle nada, Jack?

Tras varias semanas de racquetball y sudorosas conversaciones en la sala de sauna, Jack le informó a Clair lo que siempre había sospechado pero ahora acababa de confirmar: que yo aún añoraba de manera ilógica y adolescente a la muchacha de la escuela secundaria que había elegido a otro... y ese sentimiento franco y certero al que un adolescente se entrega con rapidez pero del que un hombre adulto aprende a desconfiar. En nombre de la resolución literaria y el apaciguamiento de Clair, Jack agregó un toque trágico: yo jamás había conocido a una mujer que me despertara la intensa devoción que sentía por Caitlin Lamb, y por lo tanto permanecí soltero. Fin de la investigación.

A Clair le sorprendería enterarse de que he hecho algún análisis marital por mi cuenta, que no soy tan torpe como ella me considera. Durante años he estudiado la pareja de los Mariani, sus ásperos intercambios de palabras que aterrizan como misiles, atraídos hacia blancos confirmados por cuarenta años de relación. Quiero a Jack porque ha sido tanto un hermano como un padre para mí, pero ni él ni Clair son representantes aptos del matrimonio modelo. He visto durar meses sus guerras de guerrillas; he visto a Jack tan desgastado por las escaramuzas diarias que me he sentido tentado de decirle que empacara una valija y se mudara conmigo… para discutir mi concepto de que la soledad debe en verdad de ser preferible a la relación que él tiene con Clair. Pero la conveniencia puede hacerse pasar por devoción, y he frenado mi lengua por respeto a las necesidades de Jack Mariani, sean cuales fueren.

Clair hizo caso omiso de la descripción de mi condición romántica, alzó una ceja y efectuó un último intento, un par de entradas para el teatro que Jack me dio junto con el nombre y el número de teléfono de una amiga de la familia: Julie Tyndel, rubia, veintinueve años. Tras este esfuerzo, le juró a Jack que se había lavado las manos de la tarea de casar a Austin Barclay.

La conveniencia, debo confesar ante mí mismo, también puede pasar por compañerismo, por deseo. Llevé a Julie al teatro, y luego a cenar, y luego a estrenos de cine. En lo más frío del invierno, fuimos un fin de semana al norte, cuando la nieve no dejó de caer durante treinta y seis horas. "Abrígate bien y salgamos", la insté, pero no le gustaba la nieve. Cuando descubrí que en realidad no le gustaba estar afuera con buen tiempo ni con malo, cuando nos quedamos sin cosas de que hablar, dejé de llamarla. No me enorgullece decir que tampoco devolví sus llamadas, pero así fue. Podrá no ser un proceder lo bastante delicado para

Clair, pero no soy cruel. No iba a decirle a Julie que no sentía nada por ella, que lo intenté pero no pude. La indiferencia me parece un desdén mucho mayor que el desagrado.

La velada en Bagatelle es más fácil, ya que Clair se ha dado por vencida conmigo, puesto que para ella me he convertido en un caso perdido. Los Mariani son anfitriones encantadores cuando dejan de lado la *vendetta*. Mi espíritu se aliviana a medida que la mudanza a California se torna más real y los deberes del estudio se desvanecen.

Me levanto del asiento ante los civilizados pedidos de "¡Que hable! ¡Que hable!", que menguan hasta convertirse en respetuoso silencio cuando Jack golpea con una cuchara una copa de vino vacía. Mientras escruto el espléndido restaurante y las caras de colegas y clientes, mientras un tenedor tintinea sobre la porcelana y se aquieta el susurro de las servilletas de lino, me doy cuenta de que, pese a toda la familiaridad que me rodea, conozco muy poco a esta gente. Nunca le he contado a Jack, el amigo más íntimo de mi vida adulta, de los cuadernos de espiral llenos de los versos blancos que compuse en mis primeros dos años en Greenwich Village. Con ninguno de estos hombres he compartido una cantimplora de agua tibia tras un día de caminata al aire libre, cómodos aun sin palabras en ausencia de los teléfonos chillones y el zumbido de las máquinas de fax. He discutido, cabildeado, negociado, concedido, pero rara vez he entablado amistad con ninguna de las amables personas que esperan mis palabras.

Después de mi breve discurso, sirven el café en vajilla de plata. Me paro y me siento y me paro de nuevo para recibir el primer apretón de manos de despedida. Cuando me aparto de Sawyer Martin para tomar la mano enjoyada de Elise McDonald, veo a Julie Tyndel que se levanta de su silla, ubicada junto a una mesa pequeña del fondo del salón. Las opiniones de Clair acerca de mi desenvoltura social son ásperas, pero nunca ha podido acusarme de grosería. Cuando veo a Julie ponerse de pie y encaminarse de manera tan obvia hacia el guardarropa, interrumpo mi apretón de manos con Mark Epstein, le doy una palmada en la espalda y me excuso.

—¿Julie? —Esquivo rostros cordiales y la tomo del brazo cuando se vuelve hacia mí.

—Hola de nuevo, Austin —me dice sin mirarme a los ojos.

—Quisiera despedirme… disculparme…

—No es necesario.

—No funcionó —digo sin convicción.

—Así lo imaginé cuando no devolviste mis llamadas.

Esta vez Julie alza la vista hacia mí, de modo que incluso a la escasa iluminación del Bagatelle puedo ver los semicírculos de sombra bajo sus ojos.

—¿Has estado… bien? —Le suelto el brazo y ella se dirige al vestíbulo.

—Bueno, ya conoces Bookman… Hacen trabajar como el diablo a los abogados que recién entran en la firma.

Julie le entrega su número a la empleada y espera su abrigo.

—Lo lamento. Pero no te hablaba del trabajo… sino de lo otro. Estás un poco… Tuve la impresión…

—No es necesario, Austin —repite, interrumpiéndome—. No digas nada, por favor. Me voy. Estoy cansada.

Le sostengo el abrigo mientras se lo pone.

—Buena serte, Austin. Feliz vida.

La contemplo pasar por la puerta giratoria, y luego me vuelvo hacia la multitud y capto la mirada de halcón de Clair Mariani.

Una semana después, en el avión rumbo al oeste que se eleva desde La Guardia, pienso otra vez en la cara linda y exhausta de Julie. Y apaciguo la oleada de culpa jurándome que lo primero que haré al llegar a California será encargar una mochila de primerísima calidad en REI y llamar a un agente inmobiliario para que me encuentre una casa.

No en Davis, ni en Sacramento; algo que yo pueda renovar en los dos meses que faltan para el semestre de otoño. En un barrio de verdad, donde los padres rastrillen hojas y los barriletes de los chicos cuelguen de las ramas de los árboles de los vecinos. Donde la calle sea calma y la puerta de alambre tejido se deje abierta para que entre y salga el perro. Tal vez una casa de estilo victoriano. Con pisos de roble y un jardín muy poblado.

Un hogar.

Capítulo Tres

El aleteo que siento contra el corazón me despierta del sueño. Por un momento, antes de abrir los ojos, una ligerísima arritmia de alfilerazos sobre la piel me advierte de algo que he olvidado, alguna tarea sin hacer hundida en el alma oscura de mi subconsciente. Me despierto y veo a Milton, cuyas patas grises amasan contra mi pecho. Ladea la cara hacia mí, y levanto la mano para acariciarle el pelo, rozando la mancha de pelo blanco, en forma de diamante, que cubre la cicatriz que tiene en el lado izquierdo. Milton es silencioso, un gato que hace sentir sus deseos con un movimiento irritado de la cola o la aplicación deliberada de una zarpa pesada. Era silencioso hace dos años, cuando lo recogí en la esquina de un garaje desierto de la parte este del pueblo, donde, estoy segura, se había echado a morir. Tenía un tajo cruel que iba desde el lomo hasta el vientre —¿un palazo?—, tan infectado que debe de haber renunciado a tratar de limpiarse solo y en cambio arrastró su pellejo atigrado a un nido oscuro de trapos aceitosos para morir en paz. Su dignidad me asombró durante todo el viaje al veterinario y la larga recuperación de los dieciocho puntos internos y los veinticuatro externos. Era evidente que había llevado una vida plena, me dijo el veterinario entonces; ¿en realidad quería yo gastar tanto dinero en ponerlo en condiciones? Sí. Milton todavía continúa aquí, donde ostenta su parche en forma de diamante con la misma muda dignidad y me despierta todas las mañanas con el motor de su ronroneo y sus patas contra mi piel.

Desengancho sus uñas de mi camiseta, me siento, alzo su peso tibio contra mi pecho. Conozco sus límites; sé cuánto tiempo puedo mimarlo antes de que un movimiento de la cola me señale que ya es suficiente, pero tomo lo que puedo —sus pagos prorrateados del amor recibido hace ya tiempo— y me dirijo a la cocina.

—Bueno, Milton. ¿Atún o riñón?

Cuando el abrelatas revela con un chillido el alimento de riñón, Milton se para contra mi pierna desnuda, con las uñas guardadas, para subrayar su impaciencia. Suena el teléfono cuando me agacho para tomar el *Daily Democraty* de ayer, sin leer, y ubicar su tazón sobre una foto de la cara de George Bush, mi concesión a la limpieza. El teléfono vuelve a sonar, y recuerdo qué es hoy: el primer día de mi vida después de Henry Talmouth. Dejo que atienda el contestador automático.

—¿Dolores? Sé que estás ahí. Actúas de manera irrazonable. Déjame llevarte a almorzar… entre las dos y las cuatro… No sé bien cuándo regresaré de Vacavile… Llámame, Dolores.

Ahora que me he declarado oficialmente independiente de Henry Talmouth, puedo permitirme criticar su estilo. Entre las dos y las cuatro es todo un lapso, Hen. Das demasiado por sentado, ¿no te parece? Pero resisto la tentación de tomar el teléfono para decírselo.

Milton lame el tazón hasta dejarlo limpio. Los bulbos de anémona que me dio Trevor Tuskes se remojan en un jarro de agua. Tiro el agua por entre mis dedos y palpo los bulbos. Se han ablandado, así que preparo sobre la ventana seis recipientes de turba con una mezcla de estiércol de vaca y tierra especial, y los empujo hasta la profundidad que me indicó Trevor. Vuelve a sonar el teléfono. Despacio me enjuago la tierra de los dedos bajo el agua tibia. Es Henry, llamada número dos.

—Dolores, no podremos almorzar juntos. ¡Esto es ridículo! ¡Atiende el teléfono, así puedo hablar contigo! Los chicos tienen un partido de softball, y no quiero perderme la primera jugada… ¡Maldición, Dolores! ¡Atiende, así podemos hablar!

Dejo que Milton salga por la puerta de la cocina y lo contemplo avanzar como en una cuerda floja por la delgada franja que bordea la minúscula extensión posterior de césped del departamento. Es grácil para ser un gato tan pesado, y cuando se sienta a lamerse una pata trasera extendida decido reunirme con él bajo el sol. Pongo en la hornalla agua para preparar café, y salgo. El teléfono suena una tercera vez. Henry es persistente, debo reconocerlo. Odia perder; de eso se trata. Perder, no la pérdida, es lo que fastidia a Henry Talmouth.

La voz de Henry resuena del otro lado de la puerta de alambre tejido.

—Dolores. Es la última vez que llamo. Te comportas de manera infantil. Lo digo en serio, Dolores: no volveré a llamar. Si quieres hablar conmigo, tendrás que llamarme tú.

Oh, Henry. Milton tiene más respeto por sí mismo que tú.

Cuando la pava silba, vuelvo a la cocina y vierto el agua caliente sobre el café molido. El teléfono suena una cuarta vez, pero llevo mi taza al dormitorio y estudio la puerta abierta de mi armario. Qué me pongo, qué me pongo. Hoy no cerraré ninguna operación, no mostraré ninguna casa… En realidad no importa lo que me ponga hoy. Zoey criticará mi incapacidad para vestirme como una adulta, pero saco una blusa mexicana bordada y un par de vaqueros. El teléfono deja de sonar y atiende el contestador. Paso al baño y abro la canilla de la ducha.

—¿Dolores? Habla Arinda Mesa. Tenemos siete chicos inscriptos para el taller de poesía. Necesito reservar el salón comunitario. ¿Podrías llamar al centro para solicitar horarios? Estaré aquí hasta…

Entro patinando en la cocina y tomo el teléfono.

—Hola, Arinda. Acá estoy.

—Buen día, Dolores. Tenemos siete chicos de segundo grado inscriptos para el taller de poesía infantil… ¿Alguien te dijo algo?

—Hasta ahora no. Qué maravilla. ¿Crees que habrá más?

Arinda me explica la logística. Me he ofrecido para enseñar en un taller de poesía para chicos inmigrantes en el Centro de la Comunidad Hispánica. Ni siquiera ahora tengo claro qué fue lo que me impulsó a ofrecerme como voluntaria, pero cuando Zoey mencionó que enseñaba matemática en un curso bilingüe, la idea comenzó a tomar forma. Arinda dice que la clase podría contar hasta con doce chicos, pero que debo prepararme para que vayan y vengan sin regularidad. Y que algunos padres utilizarán la clase como guardería. No le he contado a Arinda de las reservas que siento respecto de mí, la ex licenciada en Literatura que se negó a considerar la posibilidad de desperdiciar sus talentos en un aula. Estaremos parejos, supongo, los chicos y yo. Acordamos que la clase será de dos horas, los miércoles a la tarde. Con todo gusto llevaré la merienda, le digo.

Cuando cuelgo, Milton está parado contra la puerta de alambre, señal de que debo salir hacia el trabajo. Lo dejo entrar, enjuago y lleno su tazón de agua y regreso a la ducha. Cuando me he vestido y he pasado un peine por mi cabello húmedo, veo que se ha acomodado en las sábanas arrugadas de mi cama sin tender. Dormirá allí hasta que yo vuelva a casa, momento en que repetiremos el ritual alimentario. Cuando salgo del departamento, vuelve a sonar el teléfono. Hoy será Milton quien deba lidiar con Henry. Yo me niego.

Zoey me echa una mirada examinadora cuando llego a la oficina, pero en lugar de criticar mi atuendo me entrega dos declaraciones bancarias, una carta del registro del condado y una taza de café lechoso. Zoey cree que, con la astucia de diluir el café cada vez con más leche, al final logrará que yo deje de ansiar la cafeína. Miro la poción lechosa y alzo la vista a los ojos de Zoey.

—Dolores. Necesitas el calcio, no la cafeína.

—Mil gracias, Zoey. ¿Tan mal tengo hoy mi joroba de matrona? —Tomo mi agenda para anotar la clase de poesía del miércoles a la tarde. —Esta mañana me llamó Arinda Mesa. Dice que hay siete chicos inscriptos para el taller.

Zoey enarca una ceja.

—¿De veras vas a enseñar en esa clase, entonces?

—Así parece. Creo que estaremos parejos en lo que se refiere a dedicación. Arinda dice que tal vez no asistan con regularidad… que es probable que los padres utilicen el curso como guardería…

—Entonces haz lo que puedas con lo que tienes —me recuerda Zoey con tono beato—. No por ti, Dolores. Por los chicos.

—Lo sé, lo sé. Eso ya lo sé, Zoey. Solamente estoy insegura de mi capacidad, a esta altura. Los chicos no querrán hacer la psicobiografía de Sylvia Plath, que es lo que tratamos en el último curso al que recuerdo haber asistido.

Zoey revolea los ojos.

—Son chicos, Dolores. Recuérdalo. Chicos para los cuales la escuela no ha sido necesariamente una experiencia agradable. No olvides que, si se lo haces gratificante, querrán aprender.

Zoey tiene buenas intenciones, y toda la razón, pero yo sé que este tipo de abstracción es lo que me alejó de la pedagogía. En lugar de resultados de aprendizaje, pienso en Emily Dickinson en su jardín y las instrucciones de Plath para dar a luz un poema en medio de los detalles específicos inmediatos de la vida cotidiana. Para la primera clase, planeo llevar una bandeja de elementos del jardín de la casa Leland: capuilos y flores, ramitas y hojas, piedras y tierra, vainas de semillas. Escribiremos un poema sobre el crecimiento. Cruzo los dedos y ruego que mi lección tenga sentido pedagógico.

Estoy estudiando las declaraciones bancarias, cuando suena el teléfono. Atiende Zoey.

—Buenos días. Inmobiliaria Meredith… Sí. Sí, cómo

no. Aquí está la dueña. Un momento, por favor. —Zoey levanta la cabeza. Yo atiendo por mi línea.

—Buenos días. Habla Dolores Meredith. ¿En qué puedo ayudarlo?

—Me llamo Austin Barclay. Estoy buscando una casa vieja en el centro de Woodland. ¿Tienen algo por el estilo?

—Creo que sí. Cuénteme un poco más sobre lo que quiere.

—Quiero algo que necesite trabajo… con un buen jardín… pisos de madera. Mucha luz.

—¿Tamaño?

—Soy soltero. El tamaño no es importante. Necesitaré una oficina, de modo que un par de dormitorios me vendrían bien. Lo que en realidad busco es… carácter. Y dos plantas. ¿Tal vez tengan algo así entre sus propiedades?

Repito:

—Que necesite trabajo, jardín grande, pisos de madera, dos plantas… Creo que podríamos tener algo que le complazca. ¿Usted es nuevo en Woodland?

Su voz es agradable, directa.

—Supongo que sí… aunque sería más correcto decir que estoy volviendo. Vengo del Este. En otro tiempo conocí bien Woodland, cuando era chico.

—¿Precio?

—Nada ostentoso… El dinero no es el objetivo. Lo que en realidad necesito es algo… algo que pueda resucitar de entre los muertos.

—¿Recuerda la calle Tryon? ¿Grandes olmos, veredas anchas, cercas de madera?

—Por supuesto.

—¿Por qué no acordamos un encuentro, así le muestro lo que tenemos en el pueblo?

Hablamos un momento más. Él es profesor de Derecho, y comenzará en Davis en el otoño. Hago una cita para mañana. ¿Austin Barclay/Leland?, escribo en mi agenda. A las 10:00.

Cuelgo y giro en mi silla hacia Zoey.

—Tal vez sea éste, Zoey. Busca algo en el pueblo… que necesite reparaciones. Mañana voy a mostrarle la casa Leland. ¡Puede que sea éste!

Zoey se muerde la lengua durante un minuto, luego la suelta.

—Te dije que deberías haber arreglado ese porche delantero, y limpiado la basura del galpón de atrás…

—No, no, no, Zoey. ¡Él la quiere desarreglada! Limítate a esperar… ¡Creo que pasará la prueba! ¡Creo que hemos encontrado al comprador!

—Pruebas —dice ella, escéptica—. Espero que antes de empezar el taller superes esa fijación con las pruebas. Para ser un espíritu libre, Dolores, eres asombrosamente amante de las reglas. ¡Pruebas!

A la mañana siguiente, pienso en las pruebas cuando vuelvo a enfrentar mi armario. Las primeras impresiones son pruebas, también, de modo que pongo relativo cuidado en la elección de la ropa cuando me presento a un cliente. Saco una blusa de seda de una percha. Necesita plancha, pero servirá. Una pollera oscura. Medias y tacos. Acabo de estirar la colcha de mi cama, como para afirmar la respetabilidad de mi atuendo, cuando una serie de golpes suaves resuena en la cocina.

Milton está sentado en la mesada, junto al abrelatas,

moviendo la cola, los ojos convertidos en airadas ranuras. Las macetas de turba que contienen los bulbos de anémonas de Trevor Tuskes están volcadas sobre el linóleo, arrojadas allí por Milton, a quien he olvidado alimentar.

—Discúlpame, Milton, discúlpame. —Tomo una lata de comida para gatos y la vierto en el tazón. Después, como no me queda un segundo extra y es mi naturaleza demorarme en los pequeños desastres, me corto el dedo con la tapa de la lata, afilada como una navaja. Unos segundos antes de que la perfecta incisión comience a sangrar, me envuelvo el dedo con una toalla de papel, arrastro a mi malhumorado Milton hasta el borde de la mesada y le pongo el tazón bajo el mentón.

—Come aquí, Milton. Por favor.

La tierra de las macetas cubre el piso, y si no la levanto andará por todo el departamento en cuanto Milton le camine encima. De nuevo me maldigo porque se me hace tarde, pero me enjuago el dedo y me lo envuelvo con el único apósito que tengo en el botiquín —dibujitos de Disney— y luego barro la tierra, vuelvo a poner los bulbos en sus macetas y paso un trapo al linóleo. No me queda tiempo para tomar café, y apenas para ducharme. Plancho la blusa lo mejor que puedo y corro al Volvo. Tal vez llegue a tiempo para mi cita con Austin Barclay a las diez. Ésta es una prueba en la que no quiero fracasar.

Atravieso el pueblo a la velocidad máxima y estaciono el Volvo en su lugar, bajo el nogal. Comienzo a cruzar la calle hacia el garaje de la inmobiliaria, y entonces recuerdo que he olvidado las llaves del Buick, que guardo en la guantera del Volvo. De vuelta al Volvo, tomo las llaves y corro hasta el garaje. Pongo en marcha el Buick, lo saco del garaje y lo ubico con prolijidad frente a la ventana delantera de la inmobiliaria. Corro a cerrar la puerta del garaje, me cuelgo la cartera al hombro y entro como una tromba en la oficina.

Zoey está parada junto a la puerta, con la carpeta de la casa Leland en una mano.

—Mi blusa, por favor, Zoey. Abróchame la blusa.

Zoey exhala un suspiro contra mi ineficacia y me abrocha los botoncitos de nácar de la espalda. Cuando termina, suspira otra vez y me hace dar vuelta.

—Señor Barclay, le presento a Dolores Meredith.

Él está de pie a la sombra del enorme *ficus* de Zoey, de modo que no me di cuenta de su presencia. Estuvo mirándome desde la ventana, observándome acercarme apresurada, cada centímetro de mi embarazoso, antiprofesional y tardío trayecto.

—Encantado de conocerlo —es todo lo que logro decir mientras le tiendo una mano y doy unos pasos en la oficina—. Lamento haber llegado tarde…

—No, yo llegué temprano. No sabía cuánto demoraría en orientarme, de modo que llegué antes. No se preocupe.

Sonríe. Me doy cuenta de que sigo estrechándole la mano durante un momento demasiado prolongado, pero antes de soltársela miro y pienso que esta mano que aferro es la del doctor Chalmers; ancha y fuerte, con vello oscuro, la mano de un carpintero.

—Bueno, es un placer conocerlo. Bienvenido a California. O bienvenido de vuelta a California. Tengo una casa hermosa para usted… ¿Creo haberle mencionado la de la calle Tryon?

Todavía sonríe, y reparo en que Zoey me mira fijo, a causa de mi efusión de palabras. Estoy quebrando mi regla cardinal de ventas, la de no suscitar una expectativa antes de conocer bien al comprador. En general me siento tras mi escritorio, Zoey trae café y conversamos sobre el pueblo, la familia, las escuelas y los impuestos si es necesario, pero jamás entusiasmo a mis clientes de antemano. Zoey me lee la mente y toma medidas para controlar los daños.

—¿Traigo café? ¿Le gusta puro, señor Barclay?

—Con un poco de leche, gracias.

—¿Dolores?

—Con un poco de leche, gracias. —Al repetir su frase me siento una absoluta estúpida. Yo prefiero tomar el café puro, y mi guardiana osteológica autodesignada lo sabe. Estoy como aturdida. A espaldas de Austin Barclay, Zoey hace gestos como de amordazarse, y luego de cortarse la garganta. "Compórtate —dice el espeluznante lenguaje de ademanes—. Sigue adelante con el programa."

—Tome asiento. —Indico la silla mullida situada frente a mi escritorio. Me descuelgo la cartera del hombro. Austin Barclay se acomoda en la silla. No parece un profesor, sino un alpinista, un *cowboy,* un leñador. Viste vaqueros gastados y una camiseta de Bruce Springsteen. Tiene la frente y los brazos ligeramente bronceados. Su cabello oscuro y ondulado está demasiado largo para complacer a la Facultad de Derecho, calculo, y su cara da la impresión de que esta mañana no se afeitó. Este hombre no es el erudito de anteojos, tímido y canoso que yo esperaba. Maldigo la blusa mal planchada que me puse y la caricatura del ratón Mickey que llevo en el dedo, que Austin Barclay notó en cuanto nos dimos la mano.

—Zoey, ¿podrías traernos la carpeta de la casa Leland, por favor? —pido con mi voz práctica de profesional.

Zoey pone dos tazas de café sobre el escritorio y suspira por tercera vez en la mañana.

—Tienes la carpeta de la casa Leland en la mano, Dolores.

—Es cierto —digo, y le dirijo mi sonrisa más dulce a Austin Barclay.

Después del café, en el Buick, camino a la calle Tryon, Austin me pregunta si siempre he vivido en Woodland.

—En Woodland no; en Sacramento. Fui a la escuela en el Este, después volví a graduarme acá.

—¿En comercio?

—No. —Lo miro, para evaluar su reacción. —En comercio no. En literatura.

No muestra sorpresa, ni sale con ese chiste de "Entonces mejor que le preste atención a mi ortografía" que, para mí, convierte en despreciables imbéciles a los seres humanos más atractivos. Va observando los árboles y los jardines mientras yo manejo. Tiene un perfil firme, ojos oscuros con pestañas tupidas. Es un hombre de aspecto agradable, y me pregunto por qué será soltero, por qué habrá dejado Nueva York, por qué querrá una casa antigua y estropeada.

Tomo despacio por la calle Tryon. Virtualmente todas las casas de la calle son de estilo victoriano y refaccionadas hace poco, y cada una posee su propio atractivo especial. Mi intención, al pasar con lentitud ante ellas, es la de proveer la prueba visual de que el barrio es de nivel alto, familiar, y que vale la intimidante inversión de tiempo y dinero que requiere la restauración. Cuando me detengo ante la casa Leland, Austin Barclay vuelve a sonreír.

—Lindo barrio. Hasta el momento, es justo lo que tenía en mente.

Me recuerdo que esto es una prueba, que soy una vendedora inmobiliaria honesta.

—La casa necesita montones y montones de trabajo, pero valdrá la pena. Puede imaginar su potencial mirando las otras. —Empujo con la punta del zapato la combada cerca de madera sobre el desparejo sendero de ladrillos. Austin pasa junto a mí para levantar el portón y abrirlo. Me recuerdo que debo reducir los elogios exagerados.

Nos quedamos de pie un momento en el jardín. Restos de una bolsa de estiércol de vaca se han derramado sobre los ladrillos, y en la base de las escaleras del porche he dejado una palita de mano y una desgreñada pila de malezas cortadas.

—¿Alguien se ocupa de mantener el jardín? —pregunta Austin.

—Eh… A veces vengo yo, después del trabajo, para regar —le digo—. La casa está en venta desde hace bastante, y me interesaron las flores… Hay tantas…

—Son hermosas —dice. Envuelve con una mano el tronco de la enredadera de jazmín trompeta que sube por la balaustrada del porche. —Campsis.

Habla consigo, no conmigo, así que puedo mirar su ancha espalda mientras él sube con cautela los escalones del porche, de a dos por vez.

—¿Señor Barclay?

Se vuelve en lo alto de las escaleras.

—Puede tutearme, señorita Meredith. Me llamo Austin.

—Y yo, Dolores —digo—. ¿Te gusta el jardín? ¿Planeas arrancar todo esto y poner césped artificial?

Se ha acercado a la madera terciada que cubre los cristales rotos de la puerta de entrada. Saca un destornillador del bolsillo de atrás del pantalón y la retira con suavidad del marco de la puerta.

—Ni en mil años. Conmigo tus flores están seguras. —Ahora sonríe.

Mis planes mejor trazados se van agriando. Subo los escalones del porche, con cuidado a causa de los tacos.

—¿Qué haces?

—Quería ver si el vidrio es biselado. —Con delicadeza apoya la madera terciada contra la baranda del porche de manera que quedan hacia arriba las letras pintadas en rosa que dicen: "BOBBY SE ACUESTA CON ELENA".

—¿Ves aquí? —Señala los bordes de los dos vidrios que quedan. —Puede que cueste encontrar otros iguales… A veces es más fácil reemplazarlos todos que buscar unos parecidos. Pero sin duda es un buen vidrio antiguo.

—Pero aún no has visto el interior… ¿No crees que deberías…?

—Volveré a ponerlo si no compro la casa. No te preocupes… Bobby y Elena jamás sospecharán nada.

Esto me hace sonrojar, pero es un buen momento para abrir la cerradura de la puerta principal. Veo que no tendré que hacer un paseo guiado. El señor Austin Barclay es por completo capaz de detectar por sí mismo hasta los mínimos defectos de la casa Leland. Mientras lo sigo al interior de la entrada, experimento la más curiosa sensación de que el examinado se ha convertido en el examinador, y me pregunto si saldré airosa o vencida de la prueba.

Lo sigo a la habitación del frente, el salón en realidad, y lo observo arrodillarse para espiar por dentro de la chimenea. Con el destornillador raspa los ladrillos cubiertos de hollín. Cuando se aparta del humero, tiene una mancha de hollín en la sien. Me doy vuelta, veo una copa de plástico medio llena de vino tinto, abandonada en forma precaria sobre el alféizar de la ventana, y decido no decirle nada de la mancha.

Estoy tirando el vino por la pileta de la cocina cuando Austin emerge de la despensa.

—Esto es espléndido… Han abierto respiraderos en el piso y el cielo raso para el almacenamiento en frío. Apuesto a que los armarios de arriba también están forrados en cedro.

Se lo ve tan infantilmente feliz con las perspectivas de esta casa, que no puedo resistir preguntarle si de veras es abogado.

—Sí —responde—. Pertenecía a Vickers y Mallory, derecho empresarial, ciudad de Nueva York. Pero ya no… A partir de ahora soy un profesor distraído.

—¿Cómo sabes tanto de casas? Esto no lo aprendiste en la ciudad de Nueva York, ¿verdad?

—Puede parecer una resolución poética demasiado perfecta, pero no, no lo aprendí en la ciudad. Lo aprendí aquí, en Woodland, cuando era chico. Trabajé como oficial carpintero para Billy Day. Y papá sabía mucho de construcción, también.

—¿Extrañarás la ciudad? Woodland no tiene nada de cosmopolita.

—No sólo no extrañaré la ciudad, sino que me encanta la vida simple de pueblo. Es por eso que no quiero vivir en Davis… Demasiado urbano.

—Debes de estar experimentando el clásico cambio de la mitad de la vida —bromeo.

—Algún tipo de cambio, sí. Aunque no sé si es clásico.

Subimos a la planta alta, donde Austin mira la vista desde cada ventana y abre la puerta del altillo con el mango de una escoba. Ve la casa por lo que es… por lo que podría ser, y parece complacido con cada rasgo, cada defecto.

Sostengo la madera terciada contra la puerta de entrada para que Austin pueda volver a poner los clavos.

—Ésta es la primera mejora que haré —anuncia, y con el mango de mi palita de mano vuelve a poner los clavos en los agujeros de la madera terciada.

—¿Comprarás un martillo? —pregunto.

—Voy a arreglar el vidrio. Ya puedes soltar. —Se para y se frota las manos contra el vaquero. —Hoy, señorita Meredith, has hecho una venta.

Alzo la mano para limpiarle la mancha en la sien.

—Y tú, señor Barclay, tienes hollín en la frente.

Capítulo Cuatro

Ricky Day y yo descargamos rápido los tablones de pino Oregón, manipulándolos de a ocho por vez para bajarlos de la parte posterior de la camioneta y llevarlos hasta el porche de la casa Leland. Es la media mañana y hace calor. Rick es trabajador, lo mismo que su abuelo, habla poco, gruñe cada vez que levanta una carga de tablones contra la cadera y sube de espaldas los escalones del porche sin interrumpir la marcha. Tiene cuidado de no pisar las *lobelias,* que se arrastran por el sendero de ladrillos, consideración de la que a Dolores Meredith le agradará enterarse, pienso. Rick pone clavos como debe hacerlo un carpintero de tercera generación; con su ayuda, las paredes interiores de la planta alta están casi terminadas. Es casi un hombre. Al mediodía, cuando paramos para almorzar, desenrosca la tapa de un botellón lleno de té helado y comenta que sin duda vendría bien una cerveza.

Adentro hay unas botellas en la heladera portátil, le digo.

No, responde; cuando termine conmigo tiene que ir a jugar a la pelota.

—No lo hago tan bien si bebo al mediodía —explica con una practicada disciplina que me recuerda a mi padre—. A uno le dan ganas de dormir la siesta en vez de arreglar paredes.

Es sabio; yo también paso por alto la cerveza. Dentro de la casa todavía está fresco, y montoncitos de aserrín perfuman el aire con la dulce promesa de la madera recién aserrada. La semana pasada el contratista colocó la base nueva del piso y la armazón del tejado. En cuanto su equipo concluya, quedaremos sólo Rick y yo para terminar el trabajo. Ya anticipo la transformación de sitio de trabajo en hogar, cuando la casa Leland se vacíe de manos contratadas y se asiente en su carácter: las paredes del lugar donde viviré. Ahora albergan latas de gaseosas aplastadas y cajas pesadas de herramientas, materiales aislantes y caballetes y colillas de cigarrillos, pero ya me parece verla limpia, vuelta a pintar y reparada, las ventanas enmarcando la frondosa silueta de los olmos centenarios de la calle Tryon. Hice bien en dejar la mayor parte de mis muebles —piezas danesas claras, aerodinámicas— en el departamento de Nueva York; no quedarían bien en la casa, que exige madera oscura contra los pisos de roble pulido.

A las dos y media le digo a Rick que se marche media hora más temprano.

—Ve a dormir la siesta —bromeo. Me dirige una sonrisa, me da un apretón de manos y baja por los escalones del porche hacia la calle, donde una pelirroja pecosa lo espera en el asiento del acompañante de su viejo Chevy.

—Podrías haberle dicho que entrara —le grito.

Se detiene y menea la cabeza.

—Stace sabe qué hacer. —Lo veo inclinarse a besarla

cuando se acomoda tras el volante. Ella me saluda con la mano mientras el motor del auto se pone en marcha y ambos se van.

Trabajo durante una hora más, lijando el revestimiento de madera del salón. Debajo de las capas de pintura clara —incluso rosa pálido en un estrato— encuentro los nudos de una caoba oscura. Con un terminado satinado liso, la madera relucirá contra el sol matinal o la luz clara de una lámpara de poca intensidad. Por sobre la madera imagino un papel tapiz de dibujo suave, líneas simples veteadas de azul oscuro. Me siento sobre los talones, me limpio de la cara la máscara de polvo, y me digo que deberé empezar a buscar muebles antiguos para esta habitación.

Del porche llegan pisadas, y me pregunto si Rick habrá olvidado la caja en que trajo su almuerzo. Me doy vuelta al oír unos golpecitos en los vidrios de la puerta de entrada. Hay un viejo parado allí. Pese al calor, lleva un saco de traje, de lana, deshilachado, de cuarenta años de antigüedad, por lo menos, y apoya la mano en el puño marmóreo de un bastón.

Me estudia cuando abro la puerta, que raya el piso. Tendré que cambiar pronto las bisagras para salvar tanto la puerta como el piso de todas las idas y venidas de la reconstrucción.

—Tiene que volver a colocarla, hijo. O desbastar la parte de abajo. —Atraviesa el umbral, aunque yo no he dicho una palabra, y tiende una mano nudosa de artritis. —Trevor Tuskes. Mucho gusto. Somos casi vecinos.

—Austin Barclay. Encantado de conocerlo, señor Tuskes. —Sigue aferrándome la mano después del apretón, como si leyera los callos de mi palma.

Se esfuerza con algo que lleva en el bolsillo estirado de la chaqueta.

—Tome. —Me extiende una arrugada bolsa de papel marrón. —A manera de bienvenida. He visto lo que está haciendo aquí, y pensé que tal vez apreciaría esto. El mío lo cambié por uno nuevo.

Abro la bolsa y encuentro una perilla de picaporte, no tan gastada para que el ornado dibujo grabado en la manija de bronce resulte indescifrable. Parece un círculo de flores enlazadas que rodean el pomo, de capullos tan delicados que podrían ser nomeolvides.

—Qué hermoso… Pase. Todavía no está muy habitable… ¿Le sirvo algo? ¿Una cerveza?

Pero ya se ha retirado al borde del porche, donde supervisa la tupida maraña del jardín.

—Ella plantó las anémonas. —Señala con el bastón el follaje que se eleva más allá de la baranda del porche. —Es una buena muchacha, ya lo creo.

No me oye despedirlo, o elige no responder, y me quedo de pie en la entrada, con el picaporte en la mano, contemplando su lenta subida por la calle Tryon.

Pienso en el picaporte a la mañana siguiente, cuando me dirijo en auto desde el motel Hacienda hasta la inmobiliaria Meredith para firmar los últimos papeles. Las vendedoras muestran la generosidad de permitirme trabajar en la casa antes de que se registre la escritura, pero no me he tomado la libertad final de dormir allí por las noches, aunque la idea de echar una colchoneta y una bolsa de dormir en una de las habitaciones recién arregladas del piso superior me ha tentado cada noche, cuando regresaba a mi cama doble y al televisor de pantalla grande de la habitación 242, donde la serie de visitantes nocturnos del residente permanente de la 245 me llevaron a preguntarme si debí haber elegido un motel tan cercano a la autopista. En mi apresuramiento por huir del Hacienda, vacié la ropa sucia de todo un mes en el asiento posterior del Jeep y apilé encima cuatro libros de leyes, un martillo nuevo y una mochila que encargué por teléfono mi segundo día en Woodland. Lupe vendría volando desde Nueva York en un instante si pudiera ver la desordenada prisa con que salí del motel, pero algo me dice que Dolores Meredith ni pestañeará al ver la carga que llevo. ¿Qué fue lo que dijo Trevor Tuskes?... ¿Anémonas? El picaporte está guardado a salvo en el bolsillo para clavos de mi cinto de carpintero, colgado de la puerta de la despensa de la casa Leland. Ojalá lo hubiera traído conmigo para mostrárselo a Dolores, para preguntarle cosas de Trevor y las anémonas.

Estaciono detrás del Volvo, busco en dos portafolios antes de encontrar una chequera, y entro en la inmobiliaria. Cuando abro la puerta de vidrio, el cuadro que veo en el interior me inmoviliza un momento. Dolores tiene los pies descalzos sobre el escritorio, los brazos alrededor de las rodillas. Zoey parece muy animada; en forma alternada señala con un dedo a Dolores y hace gestos de arrancarse el pelo de la cabeza. Ambas se vuelven hacia mí cuando entro. Piernas que bajan del escritorio, brazos que caen a los costados del cuerpo.

—Hola, Austin —canturrean.

—¿Interrumpo algo? Puedo volver en una hora —digo.

—No, no, entra —invita Dolores, y desaparece tras su escritorio para buscar las sandalias.

—¿Café? —ofrece Zoey, que ya ha retornado a la normalidad.

—Siéntate, señor Barclay —dice Dolores, y hace un gesto vago con el brazo—. Los papeles están listos, y Zoey, la escribana del barrio y nuestra constante proveedora de café, está lista para cumplir con su deber.

—Esta mañana ya tomaste bastante —protesta Zoey.

Uno por uno, repasamos los papeles legales. Yo estampo mi firma en todos los sitios donde Dolores ha marcado con una cruz roja una línea en blanco.

—Para ser abogado, no lees con mucho cuidado los papeles —me reprende mientras suena el teléfono de su escritorio.

El teléfono sigue sonando, así que se disculpa para atender.

—Habla Dolores Meredith. —Una pausa larga. —Mi amor, no tiene por qué rimar… Bueno, si te gusta así, entonces sí importa… ¿Dato? ¿Pato? ¿Rato?… —Me mira, enarcando las cejas.

—¿Nato? ¿Hato? ¿Gato? —Trato de ayudar.

—Jorge, ¿qué te parece "gato"? —Dolores me hace una ademán de agradecimiento y se despide de Jorge.

—¿Tu hijo? —le pregunto.

—Un candidato ideal, pero no, no es mi hijo. Es mi… alumno, o algo así. —Mira mi última firma y le dice a Zoey que es hora de ponerse en acción.

Zoey certifica los papeles con una plumada y echa a Dolores una mirada severa tras alinear las hojas y tomar unos sobres franqueados.

—Voy a enviarlos al First American —dice—. ¿Necesitarás mis servicios para algo más?

—No. Magnífico, Zoey. Gracias. —Dolores pasa por alto, o ignora, el sarcasmo del comentario de Zoey y tiende la mano sobre el escritorio para estrechar la mía. —La casa es tuya. No puedo darte las llaves porque ya las tienes, señor Barclay. —Su mano es tibia y fuerte, pero la retira de la mía antes de que yo abra mis dedos. Lo siento como un apretón inacabado, demasiado rápido, y si Zoey no estuviera ocupada en su escritorio, se lo diría a Dolores.

Zoey se marcha. Dolores y yo la contemplamos bajar al trote por la vereda hasta que se pierde de vista.

—Estaba pensando…

—Pensé que deberíamos…

Reímos, y yo concedo:

—Primero las damas.

—No —dice ella, con los ojos bajos—, siempre están los clientes primero.

—Ya no soy un cliente, pero lo mismo aceptaré. Pensé que podríamos ir a cenar el viernes. Para celebrar. Yo, por haber encontrado la casa; tú, por haberla vendido…

Me mira seria. Sus ojos son de un tono azul verdoso. Enrosca en un dedo un rulo de cabello castaño claro.

—Me encantaría, señor Barclay —responde.

Al final de la semana, unos vaqueros y una camisa de vestir arrugada son las prendas más limpias que logro encontrar en la confusión imposible en que he convertido la casa Leland. Y las cañerías defectuosas de la ducha del baño me empaparon primero con pura agua caliente, después con pura agua fría. Para excusarme de no haber hecho reservaciones (no habría sabido dónde), confieso mi ineptitud para las tareas domésticas cuando Dolores me abre la puerta de su departamento, con un enorme gato gris bajo un brazo, y echa una detenida mirada a mi vaquero gastado. Me pone el gato en los brazos y desaparece por la puerta hacia una *kitchenette*.

—Se me ha hecho un poco tarde, así que si sostienes a Milton quedaremos parejos —dice por encima del ruido del agua que corre—. Te has vestido para el Oeste... ¿Puedes aguantar un poco de aserrín en el piso y música *country*?

—Soy experto en aserrín en el piso, señora —le respondo. Luego agrego, en voz más baja, dirigiéndome al gato: —Lo que no sé es bailar música *country*. —Mueve la cola. Soy bastante hábil para entender el lenguaje corporal, de modo que lo dejo deslizarse despacio hasta el arrugado tapiz que ocupa la mayor parte del sofá.

—¿Milton se portó bien? —pregunta Dolores, tocándome la espalda.

No es hermosa, esta mujer fuera de lo común, pero tiene algo que reconozco aunque no logre definirlo, aunque no logre asignarle el adjetivo preciso que capture sus excentricidades, sus súbitas amabilidades, sus palabras impredecibles pero satisfactorias. Se ha recogido el cabello en un peinado severo —con agua de la canilla ha domado temporariamente sus rizos naturales— y lleva muy poco maquillaje que yo pueda detectar. Está, como yo, al borde de la mitad de la vida, de modo que lo que pasa por juventud en una inspección superficial se revela, ante un escrutinio más cercano, como la complejidad más intrigante de la madurez. Me siento muy cómodo aquí, en su departamento desordenado, con su gato enorme.

—No te rasguñó, ¿no? —me pregunta Dolores, toda seriedad.

—Se portó como un caballero. Estás muy linda.

—Gracias. Milton suele ser muy simpático cuando no está protegiendo su territorio. —Lo acaricia, y el viejo *tabby* se echa panza arriba, las zarpas en el aire. —Creo que le gustas. Ésta es su posición de sumisión.

Dolores me guía por Woodland hacia el sur, hasta la calle Gibson, y luego hacia el oeste, donde terminan los departamentos y comienzan las casas de granjas situadas en cuadrados de tierra donde se han plantado tomates, maíz, pimientos y arvejas. Los vidrios de las ventanillas del Jeep están bajos, de modo que entra una brisa con el aroma intenso y húmedo de la tierra regada.

—¿Quieres poner el aire acondicionado? —Me vuelvo hacia Dolores, que se aferra el cabello con una mano para que no se le alborote.

—Jamás —responde. Luego explica: —Las granjas nunca me han dado ganas de cerrar las ventanillas. En Roseville había una granja lechera por la que solíamos pasar camino a las montañas, en los veranos, cuando era chica, y mi padre nos decía: "Huelan las rosas", como si estuviéramos en Kew Gardens. —Echa la cabeza hacia atrás y respira hondo. —Creo que a veces aprendemos a preferir o desdeñar, incluso en el nivel sensorial, porque así nos lo enseñan desde chicos.

Las rosas me recuerdan las anémonas.

—Un hombre mayor, un tal Trevor Tuskes, me comentó algo de unas anémonas del jardín...

—¡Ah, conociste a Trevor! No ha dejado de custodiar la casa desde que pusimos el cartel de venta. Es jardinero; cultiva sobre todo verduras. Vive a la vuelta de la esquina, en un pequeño chalé con cerca negra. Las anémonas deben de estar floreciendo… —Toma aliento. —¿Puedo ir a verlas? ¿Las has regado?

Me río.

—De veras quieres ir a verificar que no puse césped sintético, ¿no? Por supuesto que puedes venir. —Le cuento los progresos diarios que hicimos, le cuento de Rick Day y las *lobelias*.

El Palacio Bailable y Restaurante de Zeke es un granero de madera destartalado al que se han agregado muchas extensiones nuevas a lo largo de los últimos cuarenta años, me explica Dolores, desde que Zeke volvió de Francia y juró establecer un bar típicamente estadounidense para típicos veteranos estadounidenses. El "y Restaurante" es un salón precario revestido en cedro en cuyo frente hay unas oscilantes luces de neón que anuncian: "CENA SOBRE EL AGUA". Cuando aparece la camarera —una muchachita flaca vestida con vaqueros abolsados y una camisa vaquera adornada con lentejuelas— y nos lleva a nuestros lugares, no podemos ver el agua. Pero siento la corriente, lenta y sombría, engañosa su superficie calma. Los tonos tristes de George Jones cantan quejumbrosos en el bar.

Dolores toma el clavel de plástico blanco que hay en una botella de vino que hace de florero.

—Me gusta el restaurante de Zeke —dice, mientras estudia los pétalos de la flor—. Y ya que estabas vestido de vaquero, me pareció el lugar adecuado. No te molesta, ¿verdad? No es Nueva York…

—Está bien. No me quejo… aunque hace mucho que no bailo con la música de George Jones…

—¡Cómo! ¿En la Costa Este no ibas a bailar?

—No.

—¿No hacías otra cosa que trabajar?

—Más o menos… Ésa fue una de las razones por las que volví.

—¿El querer trabajar menos?

—El querer vivir más.

La camarera —Loelle, según dice una chapita sujeta a su camisa— enciende en nuestra mesa una gruesa vela roja semiderretida.

—Disculpen. Aquí tienen sus cubiertos. —Dispone cuchillos y tenedores y unas servilletas a cuadros sobre los individuales. —¿Quieren esperar para pedir? Vuelvo enseguida.

Dolores le guiña un ojo.

—No hay problema, querida. Tenemos tiempo. —Finge oler el clavel y vuelve a dejarlo en su lugar. —Bueno, cuéntame: ¿Por qué, por qué realmente, renunciaste a Nueva York para regresar a este pueblo?

Conozco la respuesta a esta pregunta en mis entrañas y en mi sangre, en la sensación de la mano contra la baranda de madera de la casa Leland, pero no sé cómo expresarlo en palabras de manera que ella comprenda. Para mí es importante que comprenda.

Comienzo despacio.

—No puedo describirla como una decisión consciente, aunque eso terminó siendo. Durante un par de años, mi vida no ha… no me ha satisfecho por completo. Me sentía cómodo, pero irritado, aunque de manera más bien subconsciente. Era como si las alegrías de la vida cotidiana se disolvieran. —Me entusiasmo. —Algo me llamó de vuelta a Woodland… ¿Las montañas? ¿La casa Leland? ¿Mi necesidad de felicidad?

Ella sonríe. La luz fluctuante de la vela le cambia los tonos del pelo: dorado a castaño a dorado otra vez.

—A veces… algo puede funcionar perfectamente un día, y no funcionar al siguiente… Un día te despiertas y te das cuenta de que ciertas personas de tu vida desempeñan papeles inapropiados… y empiezas a sentirte también tú fuera de lugar…

—¿Lo echas de menos? —le pregunto, conjeturando.

No le sorprende mi suposición.

—En absoluto. Eso es lo que me asusta… el no echarlo de menos. Me plantea dudas sobre mí misma… me pregunto si no seré yo la que está pasando algo por alto.

Loelle regresa con los menús, pero Dolores se los devuelve y le dice que comeremos el plato de bagre —¿qué otra cosa podríamos comer, en el delta?— y pide también dos cervezas. Vuelve a su teoría.

—¿Y tú, Austin? ¿No dejaste ninguna mujercita en Nueva York esperando que la llames, lista para venir volando al oeste en un abrir y cerrar de ojos? —Bajo su tono de broma hay una pregunta seria.

—Ninguna. —Levanto la botella helada de cerveza que Loelle ha puesto frente a mí. Quisiera pasármela por la frente como hizo ayer Rick Day con una lata de gaseosa, para refrescarse. Me siento como no me sentía desde que tenía la edad de Rick: el lento ardor debajo de las bromas cargadas de significado me indica que ésta es una mujer con la que deseo hablar durante horas, una mujer a la que deseo estrechar contra mi pecho para saborear los latidos de su corazón.

—¿No tienes historia? Yo te conté la mía.

—Creo que me ofreciste apenas una versión muy

reducida. La mía es tan aburrida y predecible que no querrás oírla.

—¿Ni esposas divorciadas ni niños chillones?

—No.

—¿Por qué?

—Podría preguntarte lo mismo, ¿no?

—Te respondería que nunca apareció la persona adecuada.

—También yo. El plan cósmico me ha fallado en ese aspecto. —Muevo la botella de cerveza del círculo húmedo que ha formado sobre el mantel. Loelle nos trae los platos de bagre. Estudio los bultos redondos que rodean las tajadas de pescado.

—Croquetas de maíz. Una receta de la esposa de Zeke. Tienen terribles niveles de colesterol.

—Pero los disolveremos bailando, ¿no?

Lo hacemos. En el piso del Palacio Bailable hay aserrín de verdad. Yo soy torpe, pero Dolores es paciente. Me enseña a seguir a las parejas inmersas en el baile. Al poco rato bailamos junto a ellos, hasta que la banda empieza a tocar ritmos más lentos. Dolores apoya las manos en mis hombros, la cabeza contra mi pecho. Tararea junto con la primera guitarra. Yo deslizo las palmas de mis manos por su espalda y le ciño la cintura. No me cuesta seguir el ritmo, y nuestros pies recorren el piso polvoriento al compás de un vals del oeste.

Cuando termina la música, con una sola y lastimera nota de la guitarra, Dolores alza la vista y me dice, al estilo de Texas:

—¡Bueno, señor Barclay, no me pisó los pies ni una sola vez! —y me lleva hacia la noche.

Fuera del Palacio Bailable, se vuelve hacia mí.

—Tengo una tolerancia limitada para ciertas formas de música *country*.

Río con ella. La música, que otra vez se ha vuelto ruidosa en el interior del salón, forma como un muro de sonido que se eleva en la noche.

—Tu nivel de tolerancia es mi nivel de tolerancia —digo.

La brisa del delta despeina a Dolores, apartándole el cabello de la nuca. Permanecemos parados ahí, contemplando las aguas lodosas que corren silenciosas en la noche estival. También nosotros guardamos silencio, en esa calma que viene después de la agitación del baile. Abro la puerta del Jeep para que suba Dolores.

—¿Ya te recobraste de las croquetas?

Me aprieto la caja torácica con las manos.

—Tengo toda esa grasa frita acá, en el centro mismo del corazón.

Ríe y sube al Jeep.

El motor zumba en el viaje de regreso a Woodland.

Cuando nos hallamos de vuelta en las calles del pueblo, rompo el silencio.

—¿Quién es Jorge?

—Ah, Jorge… —Mira por la ventanilla. —Jorge Mendoza es un chico de segundo grado de quien estoy desesperadamente enamorada.

—¿Y?

—Trabajo como voluntaria en el Centro de la Comunidad Hispánica, en un taller de poesía para hijos de obreros inmigrantes. Jorge es especial… no necesita que lo estimulen. Y escribe los poemas más maravillosos, con las rimas más rigurosas imaginables… Se ha tomado el hábito de llamarme casi todos los días, a veces cuando creo que está en la escuela... Sólo conozco al padre. Es probable que no tenga mamá.

—Apuesto a que haces maravillas con esos chicos.

—Maravillas, no. Quisiera que se dedicaran a los versos libres, pero les encanta la rima. Después de la segunda clase tuve que pedirle a Eddie que me encargara un diccionario de rimas. Mi mente no trabaja de esa manera...

—¿Puedo ir a verte en clase algún día?

Me detengo en un semáforo. Dolores me mira, con fingida expresión de horror.

—¡Qué pedido tan íntimo para una primera salida!... Bueno, pero sólo si ayudas. Tendrías que firmar un contrato, por supuesto.

—Por supuesto. Lo haremos lo más legal posible.

Frente al departamento de Dolores, nos sentamos en el cordón de la vereda. El pueblo es solemne; el aire, un bálsamo sedante. Ella se estudia la cicatriz que tiene en el dedo. Un gesto infantil, que me impulsa a preguntarle cómo una licenciada en Letras llegó a hacer carrera en la actividad inmobiliaria.

—La triste verdad es... Me di cuenta de que no era una escritora talentosa. Capaz, sí. Instruida, sí. La respuesta práctica es que uno tiene que dedicarse a algo, ¿no? Empecé a trabajar en esto de manera casi accidental, y nunca lo dejé. —De pronto se pone de pie y me tiende la mano. —Tengo que irme. Milton debe de estar inquieto, seguro.

—Lo he pasado muy bien —digo, y me paro también—. ¿Vendrás a inspeccionar las anémonas?

—Por supuesto. Y las clases de poesía son los miércoles a la tarde. Llámame, cuando sepas que vas a venir.

—Lo haré. —Dolores sube por el sendero hasta la puerta de su departamento.

Cuando me dirijo al Jeep, recita desde la puerta:

> *"Embriagada de Aire —estoy—*
> *Y Disoluta de Rocío—"*

Levanto los brazos al cielo y le respondo:

> *"Aturdida —en interminables días estivales—*
> *En posadas de Azul Fundido—"*

Vuelve desde la puerta de su departamento hasta el borde de la calle, balanceando los brazos.

—Señor Austin Barclay —exclama—, es usted un hombre sorprendente.

CAPÍTULO CINCO

Jorge no se aparta de mi lado. En cuanto entro en el Centro de la Comunidad Hispánica, el miércoles a la tarde, se convierte en mi segundo yo. Desliza sus dedos sucios en los míos y me sigue como una sombra por el aula hasta que la tierra de su pequeña palma se pega también a mi mano. Le ofrezco mis Marcadores Mágicos. Sus ojos castaños de ciervo se agrandan ante la perspectiva de destapar los lápices de punta de felpa, cuyo aroma cáustico inhala antes de alinearlos con prolijidad sobre el pupitre. A mi cesto de mimbre para comienzos de poemas desechados ha contribuido con sus objetos propios. La semana pasada fueron tres carreteles de madera, pintados de un horrendo negro azulado y pegados extremo con extremo. Hoy es una cabeza de martillo oxidada, que Jorge coloca en el cesto, lo piensa mejor y luego devuelve a su bolsillo.

Los otros chicos comen galletitas y patean con los pies calzados con sandalias contra las patas de los pupitres. Sus primeros poemas, ilustrados, cuelgan al nivel de los niños alrededor de las paredes del aula, donde les gusta señalar sus nombres y leer sus versos, más de memoria, pienso, que por su superficial comprensión de la fonética del idioma inglés. Aunque su ortografía suele ser sorprendente, los chicos tienen oído musical. Cuando beben con avidez la leche y se ubican sobre la carpeta oval que delimita nuestro ámbito, les leo obras del escritor de poesía humorística Odgen Nash. Se desternillan de risa con sus versos, que inspiran un torrente de frases tontas, que me ofrecen con excitación chillona, casi histérica.

Soria tiene una mancha de chocolate en la mejilla. Trato de limpiársela con una servilleta húmeda.

—Eres un gusanito serpenteante —le digo, y le hago cosquillas en el estómago con el papel mojado.

Ella se tira sobre la alfombra y chilla:

—¡No, tú eres un gusanito serpenteante!

Jorge me arroja los brazos al cuello.

—¡Dolores es una tortita rica!

—Dolores "hace" tortitas ricas —le digo mientras aprieta su mejilla contra la mía—. Y las hace para ti, conejito bonito.

Soria se queda inmóvil. Los brazos de Jorge se tensan. Me doy vuelta hacia donde tienen fija la mirada, y veo, en el umbral de la puerta abierta, a Austin, que está parado allí, con una sonrisa en los labios.

Se acerca hasta nuestra alfombra y se arrodilla.

—¿Ésta es la clase de poesía? —pregunta, cara a cara con Alma.

Alma me mira de reojo, con cara inexpresiva. Le guiño un ojo.

—Está todo bien —le digo en voz baja.

—¡Jorge dice que Dolores es una tortita rica! —grita Alma.

—¿Y qué podrías ser tú? —le pregunto a Austin, enarcando las cejas.

—Si Jorge es un conejito bonito —responde él—, y tú eres una tortita rica, entonces yo debo de ser… ¿El ratón valentón? ¿El gato pazguato? ¿El oso ruidoso?

Me río. Un instante después, los chicos ríen también. Austin sabe captar su atención. Para el final de la clase, están acurrucados en el regazo de él o colgados de sus hombros, prendados de su voluntad de jugar los juegos de ellos y, como yo, fascinados con su buen humor.

Jorge es el último en irse, de la mano del padre, pues decidió a último momento revelar su cabeza de martillo a Austin, que se muestra debidamente impresionado.

—Te los ganaste —le digo mientras junto los jarritos de plástico rojo en que he impreso los nombres de los chicos. Él arroja las servilletas arrugadas, de a una por vez, a un tacho para desperdicios.

—Me gusta lo que haces —me dice, y se agacha a levantar una servilleta que ha rebotado contra el tacho—. Me gusta que hagas esto.

Su cumplido, simple y directo, me entibia el alma. Austin reconoce este fragmento de mí que acabo de descubrir, una parte vital separada de los argumentos de venta y los márgenes de lucro, fantasmal y sutil aun para mí misma. El único hombre que he conocido en mi vida que podría haberme ofrecido un elogio semejante es mi padre, que esperaba que sus hijos procuraran pequeñas formas de enderezar lo que encontraran errado en el mundo. La capacidad de Austin para pronunciar estas palabras —palabras que no se refieren, al fin y al cabo, en absoluto a nosotros— lo acerca, lo vuelve más cercano que lo que nunca estuve de Henry Talmouth.

Paso los lápices de una mano a la otra.

—Gracias por venir. Los chicos tendrán toda una nueva perspectiva del reino animal después de oír tus rimas… No sabré cómo continuar la semana que viene…

—Con verduras y minerales.

—No está mal… Podría hacerlo.

Salimos y nos dirigimos a nuestros autos. Arrojo la bolsa con los jarritos de plástico por la ventanilla abierta del Volvo y me vuelvo hacia Austin.

—Pensé, si tienes ganas, que podríamos volver a cenar juntos —me dice.

La luz de la tarde da un brillo a su cabello oscuro. Me gustaría pasar la mano por esos mechones sueltos como podría hacerlo con Jorge, quisiera sentir la textura embebida en sol de sus rulos.

—¿Cenar? —digo, al tiempo que retiro la mano de la manija caliente de la puerta del Volvo.

Austin abre la puerta por dentro.

—Sube, que cerraré yo. ¿Qué te parece el sábado? ¿A las siete?

—Sí, a las siete está bien.

Austin se aparta del Volvo. Apoyo un codo sobre el marco de la ventanilla y hago una mueca cuando el metal ardiente me toca los brazos. Austin menea la cabeza, con expresión desalentada.

—¿Austin?

Se inclina cerca de la ventanilla, con cuidado de no tocar el metal.

—Te agradezco que nunca hayas dicho nada de mi auto... ni del departamento... Zoey no para de criticarme.

—Son otras cosas las que me gustan de ti, Dolores —me responde, y luego me besa, rápido y lejos del blanco, en la comisura de la boca.

El jueves, a la hora del almuerzo, Zoey acomoda su comida en un individual prolijo sobre mi escritorio, que he despejado de correspondencia y listas de precios. Dispone varios recipientes de plástico, un sándwich envuelto en papel transparente y un vaso térmico de té helado.

Frente a mí hay una desamparada naranja, un yogur sin grasas y una gaseosa dietética que compré en la máquina expendedora de la agencia de viajes cercana.

—¿Cuál es el menú especial de hoy? —pregunto con tono anhelante, mientras la observo abrir sus recipientes.

—Duraznos en rodajas, zanahorias, ensalada de pavo con mucho apio... —Me muestra cada cosa a medida que la identifica, como una azafata que muestra las salidas de emergencia de un 747.

Le dirijo mi más tímida mirada de súplica.

—Dolores —me dice, mientras me da con disgusto la mitad del sándwich de pavo—, si te organizaras un poco, también tú podrías hacerlo, ¿sabes?

Resopla y muerde un pedazo de durazno.

—La verdad, ayer preparé toda la comida de que soy capaz, cuando hice esas galletitas para mis pequeños poetas.

Zoey deja los duraznos y aplaude.

—¿Caseras o con mezcla de paquete?

—¡Ah, vamos, Zoe! De paquete, con pedacitos de chocolate derretidos. Y no las cocí de más. Los chicos las comieron, sin quejas.

—¿Entonces las clases van bien?

—Tal vez no vayamos a ganar el Pulitzer, pero estamos contentos.

—¿Ya encontraste algo para los Walters? —me pregunta mientras abre la tapa del recipiente más grande y cambia de tema como si fuera el plato siguiente de su menú.

—Creo que van a decidirse por una de las casas de Brookside de cuatro habitaciones. A ella se le nublaron los ojos cuando vio el papel afelpado de la cocina, y cuando él vio el tamaño del garaje, completaron el día. Él iba de un lado al otro del jardín, midiendo, primero en pasos y después en metros. Yo esperaba que también lo hiciera en yardas. —Tomo un sorbo de mi gaseosa. —Sí, el viejo Phil estaba positivamente emocionado al pensar que podría estacionar su nuevo vehículo, que todavía no compró, en un lugar donde todo el barrio pudiera verlo las veinticuatro horas del día.

Comienzo a pelar mi naranja.

—Eso no lo sabes… Es poco amable suponer defectos de personalidad en todas las personas con las que haces negocios… Vives de esa gente, Dolores.

—No lo hago con todos. Y no me señales con el tenedor. Sólo lo hago con los que andan por ahí en autos de sesenta mil dólares, para que los vecinos se den cuenta. Y no es poco amable; es cierto. La ostentación es imperdonable. Así lo dicen la Biblia, el Corán y el Talmud. Ahí tienes.

Zoey sacude la cabeza y toma un gajo de mi naranja.

—Observé que un cierto cliente nuevo anda en un Jeep bastante caro. —Se cree astuta, esta Zoey.

—Ese Jeep es el primer auto que un cierto cliente posee en veinte años —replico.

Zoey empuja hacia mí el recipiente de las zanahorias, y luego el aderezo: una invitación a la charla femenina.

—Es maravilloso, Zoe. Tal vez sea el hombre más extraordinario que he conocido en mi vida. Sabe recitar oscuros poemas de Emily Dickinson. Los chicos lo adoran. Tiene una mochila… ¿Sabes lo difícil que es en estos días encontrar un hombre que tenga una mochila?

Zoey me mira con expresión dubitativa.

—¿Y no le interesan los garajes grandes?

—Zoe, te hablo muy en serio. ¡Sabe el nombre en latín del jazmín trompeta, por el amor de Dios! Y deberías ver lo que ha hecho con la casa Leland…

—Lo vi. Ahí tenías razón; le está haciendo justicia. E imaginé que él era la razón por la cual has estado tan… vivaz, últimamente. —Zoey bebe un sorbo de su té helado.

Espero más. Pese a nuestros incesantes choques culturales, Zoey es mi amiga más íntima. Sus juicios me importan mucho. Hasta estoy dispuesta a confesarle que mi relación de siete años con Henry Talmouth fue un maldito error, opinión que ella ha sostenido desde el principio.

Zoey continúa.

—Te he observado actuar así en una ocasión anterior, no sé si recuerdas, Dolo. Tengo una especie de sensación de *déjà vu*. Y como, al parecer, soy la única voz de la razón en tu círculo inmediato, te recomiendo más cautela que la que muestras.

—Te gusta, ¿no?

—¿Henry? ¡Nunca!

—No, Henry no. Austin. ¿Te gusta?

Zoey apoya una mano en la mía. Su voz es suave.

—Pienso en ti. Tus expectativas no son razonables, Dolores. Tu ideal de la felicidad podría ser inalcanzable. Te escucho satirizar a los Walters y los Peralta cuando vienen a buscar su dicha... ¡no resoples!... y pienso que estás tendiéndote una trampa. —Zoey da la impresión de rezar, con las manos juntas. —A veces pienso que te condenas con tus pautas. ¿Entiendes lo que te digo?

Por alguna razón que aún debo explicarme, sus palabras me recuerdan a las del doctor Chalmers. Siento que se hincha en mi garganta la misma negativa obstinada que cuando él me entregó mis poemas manuscritos y procedió a decirme que creía que, con su recomendación, yo podría encontrar un buen cargo docente en una de las facultades locales. Jamás abrí las cartas que me escribió. Menos de una semana después de las ceremonias de graduación, estaba trabajando en Parker, Aubrey & Downes. Leía contratos en lugar de poesía y diseñaba un mundo tan alejado de mi decepción creativa que podría haberse hallado en otro planeta.

Zoey espera que le diga que entiendo, que me portaré bien.

—Trato de ser realista —le digo con tono manso—. Creo que somos compatibles, eso es lo que pienso. ¿Es demasiado esperar?

Zoey me palmea la mano.

—Por supuesto que no. La compatibilidad es apenas un requisito mínimo. Hasta Tammy y Phil Walters insisten en eso. Las flores de felpa y los garajes grandes no son más que compatibilidad, en su propia escala.

Aquel anochecer, en mi patio minúsculo, con Milton

en mi regazo y el diario doblado en la página del editorial, reflexiono en lo que me dijo Zoey sobre la compatibilidad. Pienso en papá y Todd y yo, en la tibieza del amor confortante que nos teníamos. Pienso en mi madre, a quien nunca conocí y a quien Todd afirma no recordar; en la manera como resplandecía papá cuando comenzaba una de sus anécdotas: "Tu madre…". Recuerdo el frágil juego de té —¡mamá era tan distinta de mí!— y trato de imaginar la combinación de su refinada delicadeza y el entusiasmo torpe y expansivo de papá. Pienso en Zoey y su marido, Ted, ambos tan prácticos y serenos, dedicados el uno al otro sin histrionismos. Pienso en Henry Talmouth y su esposa de *country club,* Ellen, y veo que tal vez él ha permanecido con ella durante quince años a causa de algo que los une aún más que el bienestar de los hijos. Pienso en Phil y Tammy Walters, en la adoración de cada uno por las necesidades y el mal gusto del otro. Quizá Zoey tenga razón, quizás haya un elemento faltante en la ecuación inflexible con la que me he comprometido.

Milton se estira en mi regazo. Suena el teléfono. Considero la posibilidad de dejar que atienda el contestador pero luego lo pienso mejor, dejo a Milton en el piso y entro en la *kitchenette,* donde mis pies descalzos se adhieren al linóleo fresco. Es Austin, que necesita consejo para elegir un lugar para ir a comer el sábado. Le sugiero la parte antigua de Sacramento, tal vez en el río. Me comenta algo sobre el papel de las paredes —ha decidido contratar gente que lo coloque—, pero está puliendo el piso él solo. Y agrega que ha puesto en marcha los regadores del jardín. Me río. Me comenta que se someterá a un examen médico y comenzará su trabajo en la Facultad de Derecho la semana que viene.

—¿Esta noche estás callada, o es mi imaginación? —me pregunta.

—No es tu imaginación. Estoy callada.

—Entonces corto.

—Estaba pensando… Estuve estudiando las parejas que conozco…

—¿Y?

—Todavía sigo estudiándolas.

—Bueno, te dejo. Sé reconocer una investigación seria cuando la veo. Haré reservaciones para las ocho. Te veo a las siete.

Sostengo el teléfono un momento después de que Austin cuelga. Oigo los latidos de mi corazón, golpes sordos contra el muro de mi pecho.

A la mañana siguiente, mientras voy en el auto a la oficina, continúo estudiando. Me encontraré con Dodie y Frank Murphy, unos vecinos de mi infancia en Sacramento. Se han quedado en el viejo barrio hasta que las dolencias de la edad les tornaron imposibles los escalones y los jardines empinados; ahora quieren mudarse a una casa más chica, de un solo piso, en una calle de poco tránsito. Recuerdo las rosas de Dodie: grandes masas trepadoras de amarillo y rosa que llegaban hasta lo alto de un costado de la casa, hasta las ventanas del tercer piso. En verano, y de nuevo en el otoño, Frank estiraba una escalera plegable, la apoyaba contra la casa y podaba el matorral. Y todos los veranos y el último otoño, Dodie bailoteaba alrededor de la base de la escalera, gritándole que tuviera cuidado, que no se apresurara, que se fijara dónde ponía los pies.

Una vez junté los capullos de rosas que llovían de la escalera y se los di a Dodie, que lanzó exclamaciones por mi trabajo y me prometió que haríamos jalea. De veras hicimos la jalea, veinte frascos de ámbar perfumado. A los diez años, tal vez yo no resultaba de gran ayuda en la cocina de Dodie, pero recuerdo el tono de voz que ella empleaba para advertirme que tuviera cuidado con las ollas de agua humeante y el vidrio caliente de los frascos; era el mismo tono con que canturreaba sus advertencias de cautela a Frank durante las dos expediciones anuales que él hacía a lo alto del costado de la casa. Hace dos años que no los veo, y ayudarlos con su mudanza es algo que anhelo hacer.

El Buick espera en la calle; las casas que tengo en mente se hallan en una carpeta con la etiqueta "MURPHY" cuando Dodie y Frank llegan a la inmobiliaria en su Ford Falcon inmaculado. Corro a la vereda a recibirlos.

—¡Hola!

Frank baja con agilidad del Ford y ofrece una mejilla a mis labios.

—Ahora, Dolores, déjame ayudar a bajar a Madre, así puede saludarte de verdad.

Ayudo a Frank a levantar a Dodie del asiento. Ella ríe.

—¡Puedo subir sin problemas, pero bajar me cuesta! —Tiende los brazos y me planta un beso lila en la mejilla. —¿Cómo le va a mi vecinita?

—Esperando volver a ser pronto tu vecina —le digo, y tomo mi bolso.

Ella me toma de un brazo a mí y de otro a Frank. Avanzamos con lentitud hacia el Buick, donde, fiel a su palabra, Dodie sube del lado del pasajero sin ayuda.

Les digo que quiero mostrarles algunas casas con dos baños y dos entradas. Sin usar muchas palabras, me han dejado en claro que algún día, si llega el momento, quieren poder tener a alguien que les haga compañía y viva con ellos… y que prevén seguir siendo independientes de los asilos para ancianos. Los llevo despacio por las calles viejas de Woodland. Cuando pasamos ante la hilera de chalés de la calle Second, Dodie lanza un gorjeo de aprobación y yo detengo el auto.

Los tres nos demoramos en el interior del agradable chalé. Es aireado y limpio, y las plantas en macetas dispuestas en los rincones y en las bibliotecas llaman la atención de Dodie. Él dedica un rato al lavadero, que tiene una pared de armarios cerrados que, según me comenta Dodie, podrían contener las herramientas y quién sabe qué otras cosas de Frank. Ella abre los armarios de la cocina y apoya las manos contra la mesada.

—¿Estás cansada, Dodie? Sentémonos. —Aparto de la mesa una silla de mimbre. Aunque corro peligro de sobrepasar mis derechos de vendedora inmobiliaria, tomo un vaso limpio de un armario y lo lleno con agua embotellada que encuentro en la heladera.

—Es más importante que le guste a él —me susurra Dodie después de beber el agua—. Es Frank el que se ocupa de casi todo, en estos últimos tiempos.

—A los dos se los ve muy bien —le digo.

—Pasamos mucho tiempo sentados —me confiesa ella—. Yo ya tengo ochenta y un años, Dolores…

—Pero se tienen el uno al otro —replico—. Tienen sesenta años de historia juntos…

—Sí, es cierto. Es cierto. Y eso es algo, ¿no?

Oímos que Frank sube los escalones por el porche trasero, el crujido de la puerta de alambre tejido del lavadero.

Viene a la cocina y apoya ambas manos sobre los hombros de Dodie.

—¿Qué dices, madre? ¿Crees que nos servirá para treinta años más?

Dodie ríe.

—Como mínimo, Frank.

Les explico los trámites que hacen falta y les prometo llamarlos en cuanto el vendedor me responda. No es una idea tan temible —pienso mientras Frank aparta con cuidado el Falcon del cordón— esto de envejecer con el compañero de toda una vida.

De vuelta en el departamento, pienso que Dodie y Frank bien podrían ser la pareja más afortunada que he encontrado en mi investigación. Han logrado llegar a una etapa en que el simple hecho de sentarse juntos a una mesa, con palabras o sin ellas, resulta gratificante. Me cuesta imaginar que Henry Talmouth y Ellen logren alguna vez ese tipo de cómoda calma. Papá y mamá nunca tuvieron la oportunidad. Me avergüenza ver, con súbita y suma claridad, que, sea lo que fuere lo que Tammy y Phil Walters comparten hoy, en treinta años podrían con toda facilidad convertirse en lo que hoy me han mostrado Frank y Dodie Murphy.

Levanto a Milton del suelo y le susurro al oído:

—Espero tener la misma suerte.

Capítulo Seis

Sopla una viva brisa del delta cuando Rick Day y yo hemos limpiado, tras un día de pulido y rasqueteo. Abro todas las ventanas de la casa y observo las partículas de aserrín que se agitan en el aire en movimiento. Los pisos de roble de la planta alta ya están lijados, pero la semana que viene, después de que les hayamos puesto un sellador satinado, brillarán como deben de haberlo hecho en 1800. Los pisos han sido la tarea final de la resurrección de la casa Leland; cuando seque el sellador, tendré que empezar a pensar en unas bibliotecas y otros muebles y en mi inminente semestre en la Facultad de Derecho de la Universidad Davis. Durante las últimas seis semanas he vivido de manera refrescante, dedicado por completo a las cuestiones mecánicas inmediatas del momento: decidir qué lija necesitaba cada superficie de madera, si poner marcos nuevos a las ventanas del primer piso y reemplazar por entero cada unidad, en qué medida debía depender la cocina refaccionada de las maravillas técnicas de las microondas, el lavaplatos, la compactadora de basura. En un conveniente proceso terapéutico, me he reconstruido también yo, a partir de cero, de modo que de un día para el otro siento como si me conociera de nuevo.

Termino una botella de agua mineral y la dejo en la mesada de la cocina, contento de haber elegido madera en lugar de azulejos. Del otro lado de la ventana de la cocina las ramas de una planta de papa enroscan sus flores blancas en forma de estrella contra el alambre tejido; una sorpresa, sus perfectos pistilos amarillos. Tuve suerte de heredarla, me dijo ayer Trevor Tuskes en una de sus abruptas visitas. Estas plantas crecen con lentitud, y encontrar una desarrollada sobre una pared entera es una rareza. En lugar de cortarla, apoyé toda la planta en el suelo cuando los pintores trabajaron en el lado de la casa correspondiente a la cocina. Luego armé un enrejado de madera y volví a acomodar las ramas sobre este dibujo en forma de diamantes, una vez más contra la pared. Los capullos demoraron unas dos semanas en florecer, pero hasta Trevor ha certificado la salud de la enredadera.

Atravieso la cocina hacia el cuarto delantero, el salón. El revestimiento oscuro muestra dibujos semejantes al mármol a causa de la luz del sol que se filtra entre los árboles de la calle Tryon. Una caja cuadrada, chata, descansa contra la repisa de la chimenea —los cristales biselados que encargué para la puerta de entrada—; la pongo en un lugar más seguro, en un rincón de la habitación. Hojeo una pila de papeles que hay sobre mi escritorio improvisado —la caja en que vino embalada la heladera— y encuentro mi agenda. En ella figura una lista de tareas que escribí a comienzos de junio. Me siento en la mecedora de madera del estudio de mi padre, uno de los pocos muebles que he traído de Nueva York, y comienzo a tachar las cosas que he hecho. Cambié el buzón para correspondencia del portón del frente, limpié el galpón de atrás del garaje, encargué los vidrios biselados para la puerta de entrada, pedí turno para el necesario examen físico del plan de salud de la Fundación, elegí una oficina en King Hall, hice el *service* del Jeep y compré canillas nuevas. Lo que todavía no he hecho es decidir si arreglar las cañerías del baño de arriba o continuar viviendo con las melindrosas riñas que tienen lugar entre el agua de la ducha y la del inodoro. Y necesito encontrar un conjunto de muebles apropiado para el salón. Pero todo esto llevará tiempo, pienso, y me pregunto si Dolores sabrá algo de antigüedades.

Una oleada de imágenes me acude a la mente cuando digo su nombre: Dolores pidiéndole a Zoey que le abotone la blusa; Dolores con los pies descalzos apoyados con descuido sobre el escritorio atestado; Dolores con una blusa mexicana dando vueltas entre dos vaqueros en el Palacio Bailable; Dolores diciendo unos versos de Emily Dickinson en la callada oscuridad del verano; Dolores sentada, la cara morena de Jorge apretada contra su cabello rubio. ¿Qué significa —me pregunto— cuando un hombre demasiado viejo para enamorarse como un tonto se siente de ese modo? Ayer, en la farmacia de Woodland, mientras compraba aspirinas para un dolor de cabeza causado por el exceso de sol mientras arreglaba la cerca de atrás, compré profilácticos, también. No vale la pena presumir de inocencia, me digo. Clair Mariani se entusiasmaría si lo supiera. Me río en voz alta y miro la hora. Debo ir a ducharme, si es que logro que la presión del agua esté de acuerdo, y vestirme con la primera camisa oficialmente lavada que me pondré en más de ocho semanas.

A las siete, del otro lado del pueblo, Dolores me abre la puerta. Todavía está envuelta en una bata azul, pero me mira desde la punta de las botas hasta las puntas del pelo.

—Muy lindo —me dice, sonriendo—. Estaré lista en unos minutos.

La llamo desde la pequeña cocina, donde Milton monta guardia sobre la mesada, moviendo la cola.

—¿Qué hay en esas macetas?

—Más anémonas. Trevor me dio algunos bulbos hace un tiempo, cuando yo era la jardinera de la casa Leland. La intención era plantar éstas en el frente, donde los ladrillos forman esos canteros ovales. Pero éstas serán para los senderos posteriores. Mi regalo de bienvenida a la casa. Voy a plantarlas por ti; necesitan ir pronto a tierra… Los bulbos se pudren con facilidad.

Observo la base de una de las macetas.

—¿Estos hilitos que salen de abajo son raíces? —pregunto.

Dolores ha vuelto a la cocina, y me saca la maceta de las manos.

—Ya sabes lo que son, señor sabelotodo —se burla.

La doy vuelta hacia mí y le aparto el cabello de la cara.

—¿Qué ves? —me pregunta.

—Una jardinera que me gusta tanto que me sorprende —le digo tras un momento de silencio, y le limpio la mejilla, donde mis dedos han dejado un rastro de la tierra de las anémonas—. Vamos.

En la autopista, pese al zumbido del Jeep, le describo mi oficina en el *campus*. Es más grande de lo que esperaba, y desde una ventana situada frente al lugar donde pondré mi escritorio se ven los jardines de la universidad. Dolores me pregunta qué clase de profesor seré.

—Inflexible —bromeo—. Los profesores que mejor recuerdo, aquellos de los que en verdad aprendí, daban agilidad a la clase, con comentarios y discusiones, una viveza que nos mantenía interesados. No era tanto cuestión de estilo como de sustancia, una especie de inteligencia innata que nos atraía a todos y nos impulsaba a dar lo mejor de nosotros. Así es como me gustaría ser, y lo intentaré.

—¿Nada de intimidación? —me pregunta, apenas seria.

—¿Para qué? En cualquier nivel, en cualquier discurso, ¿qué sentido tiene? Si para obtener la victoria debes mostrarte intimidante, cosa que debo admitir es lo que sucede a veces en los tribunales, entonces muy bien, intimida. Pero si el objetivo es el consenso o el ejercicio del intelecto para solucionar un problema, entonces el intercambio tiene que basarse en que ambas partes aportan algo de valor a la discusión. —Sonrío, avergonzado. —Disculpa… Estos últimos días me he dormido leyendo tratados pedagógicos sobre el método socrático.

—Sigue… Me fascina —me insta Dolores—. Tal vez parezca una comparación rebuscada, pero parte de lo que dices me recuerda a lo que sucede cuando vendes una casa. Al definir el objetivo, es decir, lo que quieren los compradores tienes que callarte algunas opiniones. Siempre existe la terrible tentación de decir: "Espere, sé con exactitud lo que usted necesita… hasta lo sé mejor que usted mismo…" Por supuesto, si lo dices, la venta no se realiza. ¡Continúa!

Y así lo hago, durante los quince kilómetros siguientes

hasta llegar a la ciudad. Dolores me interrumpe de vez en cuando con preguntas inteligentes que intensifican mi entusiasmo por el tema. Me recuerda cuánto cambiará mi perspectiva de la ley en la vida que he adoptado. Sin embargo, no es sólo la ley lo que ahora adquiere nueva vida para mí. La mujer sentada a mi lado —la memoria física de su corazón latiendo contra el mío en el abrazo compulsivo de una melodía *country*— llama a la vida a un anhelo atrofiado, una deficiencia irónica que me dice que todavía, a los cuarenta y un años, soy por entero capaz de sentir necesidad de alguien.

En las calles del antiguo Sacramento caminamos por las veredas de madera, nos asomamos a los negocios de baratijas y recuerdos. Frente a una puerta de vidrio cuyas letras negras dicen: "ALTMAN - ANTIGÜEDADES Y OBJETOS DE COLECCIÓN", tomo a Dolores de la mano y la atraigo hacia mi lado.

—Tenemos diez minutos hasta la hora de las reservaciones en el restaurante. ¿Quieres entrar a ver estas cosas? Vivo en una casa donde no hay nada donde sentarse.

Dolores abre la puerta y entra en la cueva fresca del negocio de antigüedades. El aroma pesado de viejos muebles de estilo inglés espesa el aire. Dolores se detiene frente a un enorme armario de caoba.

—¿Te hablé de mis viejos amigos Dodie y Frank Murphy? —me pregunta mientras acaricia los bordes redondeados de la caoba—. Vivían al lado de nuestra casa cuando yo era chica. Dodie tenía un mueble como éste en el comedor… Los domingos de Pascua me invitaba y me hacía buscar sorpresas. Yo encontraba docenas de huevos de chocolate envueltos en papel plateado en los cajones, escondidos debajo de servilletas y manteles. —Calla un instante. —Pero me parece que esto es demasiado pesado para tu casa. —Mira la etiqueta con el precio y murmura: —Y estás loco si piensas comprar antigüedades en este barrio para turistas.

Saludo al dueño con una inclinación de cabeza; el hombre, al oír voces, ha salido de atrás de un dintel del que cuelga una cortina de cuentas. Tomo a Dolores de un codo.

—Sólo estábamos mirando, gracias —le digo al dueño, y salgo con Dolores, que estaba mirando una bañera con patas en forma de garras.

De nuevo en la vereda, le pido que me cuente más sobre los Murphy.

—Esta mañana les mostré una casa en la calle Second, un chalé limpio y pequeño... Necesitan algo que no les dé tanto trabajo de mantenimiento. Los dos tienen más de ochenta años, pero están muy bien.

Nos detenemos en el vestíbulo de la posada Sacramento River Delta.

—A veces los envidio... Tantos años juntos que han pasado en armonía, y unos cuantos por delante para sentarse juntos en silencio. Me parecen... ricos. Me hicieron pensar.

Calla cuando la camarera —una pelirroja con unas enormes argollas plateadas en las orejas que me hace acordar a Stacy, la novia de Rick— nos conduce a una mesa envuelta en sombras en un rincón del restaurante. Unas gruesas vigas a la vista cruzan el cielo raso del comedor; de ellas penden unas reproducciones de antiguos faroles de gas, debajo de cuya luz sensual nos sentamos y nos sonreímos.

Dolores mira la mesa, luego sus ojos encuentran los míos.

—Eres tú —me dice en voz baja—. He vivido cuarenta años sin pensamientos obsesivos, y ahora no puedo apartarlos. Eres tú.

Pongo mis manos sobre las de ella y las presiono sobre el lino azul del mantel; sé que es un gesto cursi, pero también el que debo hacer.

—No eres la única. Me haces sentir como un chico de dieciséis años.

Fija su mirada en la mía.

—Lo que tú me haces sentir, Austin, no se parece a nada que pueda reconocer. Me preocupa que sea demasiado bueno para ser cierto.

—Pellízcame —le digo—. O te pellizcaré yo… como quieras. Los dos somos reales. Tenemos suerte. Esto es de verdad, Dolores.

Mientras comemos la ensalada y el salmón y sostenemos un acalorado desacuerdo acerca de los méritos relativos de la disertación contra la discusión guiada (¿cómo puede uno pretender dar una disertación a un público que todavía no posee los elementos para captar los conceptos?, arguye Dolores; es contradictorio), mientras bebemos el café y volvemos al auto entre el aire nocturno en que resuenan los pasos y las risas de otros comensales, nos embarga la expectativa. Algún designio cósmico largamente esperado y bien merecido nos ha ubicado donde nos encontramos, al borde de volvernos completos, como los yoes no acabados del antiguo filósofo griego, esos yoes destinados a permanecer incompletos hasta que encuentran la mitad faltante.

Al subir al Jeep tomo en la mía la mano de Dolores y enlazamos los dedos. Regresamos por la autopista a Woodland en silencio, hacia un destino que hemos delineado en común, sin hablar, sin palabras. Estaciono en la calle Tryon, frente a la casa, mi casa, y miro a Dolores.

—Debería haber puesto las anémonas en el auto, así las traíamos —dice ella.

—Habrá mucho tiempo para eso —respondo—. Hasta te dejaré plantarlas.

—Gracias —me contesta, y baja.

Con el dorso de la mano acaricia los pétalos de los lirios azules que crecen contra la cerca delantera. Corto un capullo y se lo pongo en el cabello, cerca de la sien.

—Has hecho con la casa lo mismo que habría hecho yo —me dice, mientras sube al porche, sosteniéndose el lirio contra el pelo.

—Espera a ver el interior. Ahora está limpio; sólo le faltan unos muebles, unas carpetas y…

—Y tú —dice Dolores, que me atrae hacia sí, para besarme—. Has vuelto a tu hogar, Austin.

Nos quedamos en el porche. La abrazo y huelo el aroma de su cabello —un aroma puro, infantil— y siento sus brazos alrededor de mi cuello y sé que es cierto, que he vuelto a mi hogar, que el lugar donde estoy parado y la persona que tengo en los brazos me pertenecen como nada que haya conocido o hecho o tenido. La sensación me embriaga, me embarga una suerte de atolondramiento producto de la certeza de encontrarme seguro, en buen puerto, de haber encontrado mi camino a casa.

Adentro, Dolores exige ver todo. Le muestro primero la cocina, los aparadores pintados de blanco, las mesadas de pino lustrado, la gran ventana enmarcada por las flores de la planta de papa. Enciende y apaga luces, abre cajones, abre las canillas de la pileta. Desaparece en la despensa, donde he puesto un sostén para botellas de vino y un estante para especias y recipientes para guardar papas y cebollas.

Me atrae hacia la oscuridad fresca y aromática de ese rincón. La puerta se cierra tras de mí, y ella está de nuevo en mis brazos, sus manos en mi pelo, sus labios en los míos. Interrumpe nuestro beso.

—¿Cuándo lo supiste? —me pregunta.

—¿Saber?

—¿Cuándo supiste lo que nos pasaba?

Le acaricio la cintura, apoyo mi frente contra la suya.

—No lo sé con certeza.

—¿No fue amor a primera vista? —bromea.

—Fue algo a primera vista... No sé cómo describirlo...

Sus pechos se aprietan contra mí, y bajo la cabeza para besarle el hueco de la base del cuello.

Susurro contra su cuerpo:

—Cuando te vi llegar a la inmobiliaria, a medio vestir... En ese momento supe que eras una mujer muy sensual...

Dolores me empuja contra el sostén para las botellas de vinos.

—Debería haberlo sabido —dice con fingido enojo—. Siempre se reduce todo al sexo, ¿verdad?

La alzo y la estrecho contra mí.

—Siempre, siempre, siempre —digo, siguiéndole la broma—. Pero antes debes ayudarme con la decoración de estos interiores.

En el salón, Dolores se para frente al hogar. Estudia cada rincón de la habitación.

—Primero, señor Barclay, necesitas un sofá para poner frente al hogar. No demasiado grande, ¿pero tal vez muy mullido? Y dos sillones de un cuerpo, que no sean iguales, acá y acá. —Señala los extremos del imaginado sofá.

Pongo una cinta en mi grabador portátil mientras ella amuebla la habitación con su voz.

—¿George Jones? —pregunta con dulzura—. No combina con lo que tenía pensado.

—Bruce Springsteen —le digo, y canto junto con la cinta:

> *"Aquí viene ella, caminando,*
> *todo lo que el cielo nos permite…"*

Y Dolores viene de nuevo a mis brazos, y bailamos sobre el piso desnudo del salón de la casa Leland, mientras Springsteen canta y nos va diciendo cómo llenar esta casa con todo el amor que nos permita el cielo. Ella sigue en mis brazos mientras subimos la escalera. Sigue en mis brazos mientras la acuesto en el colchón en el piso, con mi arrugada bolsa de dormir encima. Pero de pronto ya no está en mis brazos, sino sentada, derecha, junto a mí.

—¿Austín? —Me dibuja los labios con los dedos. —Somos demasiado grandes y responsables para actuar con prudencia…

—No seremos imprudentes —le digo, y me pongo de pie—. Estoy bien preparado.

—Sabía que así sería —responde, y vuelve a tenderse sobre la bolsa de dormir.

Me saco la camisa y me echo agua en la cara. Los caños del baño resuenan. Debajo del lavabo, detrás de una caja de clavos, encuentro los profilácticos. Como un chico, me digo, y sonrío a mi reflejo en el espejo, a mi cabello oscuro, más largo que en años, a mis brazos bronceados.

—"No puedo llegar tarde, tengo una cita con todo lo que el cielo nos permita" —canto en voz alta para que Dolores me oiga.

Durante toda mi vida adulta, tanto en los encuentros casuales como en los intentos de compromiso serio, he cuestionado el mito de la unidad conyugal, la fusión de almas prometida por el momento arquetípico del esplendor sexual compartido. Lo que encontré no fue nunca lo que dan a entender las películas y la ficción y la poesía. De chico imaginaba que la pasión desenfrenada se materializaría cuando Caitlin Lamb y yo nos casáramos; cuando me convertí en un joven arrastrado por una serie de relaciones desparejas, me dije que el sexo sin amor no podía compararse con una verdadera unión sexual. Aunque nunca me decepcionaron las camas en que estuve, durante casi veinte años me permití vivir con la disminución, la reducción, del ideal literario. Cuando Dolores y yo nos volvemos el uno hacia el otro sobre la bolsa de dormir, en mi refaccionada casa de Woodland, cuando cruzamos un umbral que ninguno de los dos esperaba, entramos por completo en un mundo de caricias perfectas, un mundo que convierte a dos en uno. Descubierto por un deseo tan intenso que la fricción de nuestras pieles me congela el aliento, pierdo todo lenguaje hasta que Dolores grita. Nos besamos. Respiramos. Nos besamos de nuevo.

La hamaco contra mí, su espalda contra mi pecho, mis

rodillas plegadas y calzadas en el hueco de las suyas. Ella me sostiene un brazo contra su cintura y me acaricia los dedos, que delinea uno por uno, y luego las palmas.

—Tienes unas manos como las del doctor Chalmers —me dice mientras me roza con delicadeza el vello de los dedos.

—Ay —digo contra su cuello, y le busco la cara.

Más tarde, quietos otra vez, Dolores recorre el sudor de mi pecho.

—Necesito usar el baño —me dice. Se para, la sombra pálida y delgada de una mujer, y entra en el baño. Oigo los crujidos de los caños, el agua que corre en la pileta.

En un momento vuelve a mi lado.

—¿El agua para en algún momento? —pregunta.

—Ahora lo arreglo. Quería quedarme aquí contigo por un rato, sin moverme.

El agua gorgotea hasta que ya no podemos soportarla y nos echamos a reír.

—Ahora me toca a mí —digo, y me dirijo al baño, donde levanto la tapa del depósito de agua del inodoro y muevo el flotador hasta que el nivel del agua sube.

A la noche, cuando el aire se vuelve fresco y me levanto a taparnos con una manta, contemplo la cara de Dolores contra la almohada. Respira con los labios entreabiertos. Por un momento una ligera sonrisa le transforma los rasgos en su sueño: una broma recordada que le hace cosquillas en el subconsciente.

—Que duermas bien —le digo, y me acurruco contra su silueta tibia.

De vez en cuando me despierto y contemplo a la mujer que duerme a mi lado. Nunca ha habido nadie a quien haya deseado amar como a esta mujer, que llene el espacio vacío de mi corazón como lo hace ella, cuyos gestos y movimientos me complazcan con su suma familiaridad.

He descubierto la dicha que procuré durante años sin saber qué buscaba. La luz de los momentos previos al amanecer se filtra por las ventanas del dormitorio. En los árboles de la calle Tryon los pájaros comienzan a cantar, un coro de mensajes matinales, una misa que se eleva de las ramas de los viejos olmos. Me acurruco contra Dolores, levanto la manta hasta nuestros mentones y vuelvo a dormirme.

CAPÍTULO SIETE

Todo lo que hago me recuerda a Austin.

Si acaricio la cicatriz blanca de Milton, oigo a Austin diciendo: "A ver... muéstrame tus heridas de guerra, Milts".

Si me paso un cepillo por el pelo, siento los dedos de Austin peinando mis rulos con sus manos fuertes.

Si me llevo una mano a la mejilla, siento los labios de Austin contra mi piel.

A veces me descubro parada, con la mirada fija, hipnotizada por el recuerdo de nuestro acto amoroso, las cimas de sentimiento que nuestro amor ha originado, olas tan medidas e inevitables como las olas verdaderas que refluyen de todas las playas del mundo por la fuerza de la luna.

Sueño despierta mientras cargo ropa en el lavarropas. Cuando pienso en la manera tan literal en que Austin ha entrado en mi vida y me ha transformado de pies a cabeza, me pregunto cómo pude haber vivido sin él durante tantos años, cómo pude haber recordado cómo respirar antes de saber para qué se respira. El zumbido del motor del lavarropas me recuerda que debo cerrar la tapa, pero ya me encuentro en otra ensoñación: es dentro de mucho tiempo, y Austin y yo estamos sentados juntos ante una mesa de roble en la cocina de la casa Leland. Él tiene canas y yo tengo canas, y nos hallamos sentados en una comunión sin palabras. La visión está llena de paz. Me río en voz alta cuando pienso cómo mis imaginaciones contrastan con la oleada estereotipada del primer amor. En lugar de sudorosas escenas de alcoba, visualizo una pareja de edad, sentada en mutua compañía. Esto debe de ser, me digo, el rapto delirante de la pasión de la mediana edad. Esto debe de ser lo que es el verdadero amor.

Mis tareas del sábado me reclaman. Limpio el recipiente de Milton y paso un trapo por el piso de la cocina. Cuando el departamento —que hace semanas necesita atención— está limpio y Milton ronca en la colcha limpia de mi cama debidamente tendida, me siento a mi escritorio y enciendo la computadora. Me he prometido que transcribiría los poemas de los chicos y los sorprendería con un libro fotocopiado de su trabajo, y hasta sus versos garabateados adquieren un significado especial gracias a mi excitación. Siento ganas de cantar, y tarareo mientras termino con los poemas, los centro en una tipografía clara e imprimo una copia en borrador. Sigo cantando mientras me ducho y me visto, mientras doblo las prendas que saqué del secarropas y redacto una lista de compras, algo que no hago casi nunca. Llevaré a la oficina el *diskette* con los poemas y sacaré una impresión láser, y luego llevaré todo el libro al negocio de fotocopias en color para que hagan una versión colorida y lo encuadernen con espiral. Y después haré las compras con cuidado porque le he dicho a Austin que yo prepararé la cena en su cocina recién equipada, la cocina que figura de manera tan prominente en mis fantasías de dicha geriátrica. Abro una lata de atún para Milton, aunque es demasiado temprano, y le hago una última caricia antes de juntar los papeles de mi escritorio. Vuelve la cabeza pero no se molesta en abrir los ojos. Absoluta devoción y confianza es lo que Milton siente por mí. Absoluta devoción y confianza es donde terminan las buenas relaciones, pienso, si es que la gente se parece en algo a los gatos.

Suena el teléfono mientras bajo por el sendero hacia el Volvo. Me detengo, considero la idea de volver corriendo a la casa, luego decido dejarlo sonar. Hace mucho calor para correr, y para eso están los contestadores automáticos, me recuerdo. Me marcho a la oficina.

Apenas he abierto la puerta de la inmobiliaria cuando la campanilla del aparato del escritorio de Zoey perfora el íntimo silencio de la oficina. Atiendo en su línea con un agitado y medio enojado:

—¿Hola?

—Soy yo. —Es la voz de Austin, pero no suena bien.

—Disculpa… Estaba apurada por terminar el libro de los chicos… En general los sábados no atiendo llamadas en la oficina…

—Dolores, tengo un problema.

—¿Austin?

—Me corté la mano… Creo que no puedo manejar…

—Voy para allá. ¿Te la vendaste? ¡Que quede bien apretada! Aguanta un poco, que ya voy.

Siento el estómago revuelto cuando el Volvo gira con un chirrido de neumáticos por la calle Tryon. Abro la puerta de par en par y corro por el sendero de ladrillos, paso por la puerta de alambre tejido y piso un pedazo de vidrio.

—¿Austin? —Mi voz es apenas más que un susurro.

—En la cocina.

Sigo un rastro de sangre que cruza el brillante piso de roble hasta la puerta de la cocina. Por un segundo de histeria recuerdo a Hansel y Gretel, y me digo que es sólo un corte, que la gente se corta y sigue viviendo, todos los días, todo el tiempo, en toda California, en todo el mundo. Alzo la vista. Austin está inclinado encima de la pileta de la cocina, la mano derecha envuelta con torpeza en un repasador con flores amarillas que se vuelve cada vez más rojo mientras miro.

—Debes mantener la mano levantada —le digo, y le alzo el codo hasta la altura del pecho. Revuelvo dos cajones hasta que encuentro un repasador limpio, éste a cuadros verdes. Puedo hacerlo, me digo, y le saco el repasador ensangrentado.

Es un corte feo y dentado, que se extiende desde el centro de la palma hasta la base del pulgar, y no dejará de sangrar. Presiono con fuerza con el repasador limpio contra la herida.

—Dobla el pulgar, para sujetar el vendaje. ¿Puedes aguantar un momento?

Austin asiente con un gesto. Está pálido.

—¿Dónde guardas la cinta adhesiva?

—En el tercer cajón.

Lo hago sentar en el piso y le cubro la mano con un segundo repasador, que sujeto con largas tiras de cinta adhesiva.

Me siento a su lado.

—¿Listo para irnos? Necesitas unos puntos. Muchos.

Le aparto el cabello de la cara, pálida debajo de su bronceado de carpintero.

Él apoya los labios en mi mano.

—Te amo —me dice.

—Lo sé —le respondo—. Vamos a hacerte coser.

Austin está todavía más pálido en la sala de guardia, donde una enfermera robusta nos conduce hasta un cubículo aislado con una cortina. Lo hace acostarse sobre la crujiente sábana blanca de la camilla mientras se pone un par de guantes de goma. Yo permanezco a la cabecera, acariciándole el pelo a Austin. Tiene los ojos cerrados y me da la impresión de estar cansado. Leo el nombre de la chapita de identificación de la enfermera, TAMARA, mientras ella quita el vendaje de la mano de Austin. Él se pone tenso, y yo desvío la mirada cuando la mujer limpia el corte con una mezcla jabonosa.

—¿Qué le pasó? —pregunta Tamara, fingiendo un interés que debe de resultar difícil de mostrar al final de un turno de doce horas. Siento pena por ella, por el agotamiento que le impide conocer al paciente como lo conozco yo, y cuán especial es, cuán irreemplazable. Me agacho a besar a Austin en la frente.

Él abre los ojos.

—Una estupidez absoluta. Violé todas las reglas del *Manual del niño explorador.* Hice fuerza contra un cristal.

Tamara seca la mano de Austin con una toalla.

—Yo diría que lo hizo con ganas. Por muy poco no se cortó el flexor mayor… El doctor tendrá que coserle primero el músculo y después la piel.

Austin vuelve los ojos hacia mí, señal de que ya no debo preocuparme, de que quiere hacerme saber que todo saldrá bien.

Tamara le da dos inyecciones, y luego llega el médico

de guardia, que observa la mano de Austin sentado en un banquito de tres patas y enseguida se pone a suturar con tal rapidez que termina casi cuando acababa de empezar. Prescribe dos remedios, le dice a Austin que en cinco días vaya a ver a su médico de cabecera para que le controle los puntos, y se retira.

—Ha tenido una jornada muy larga —lo disculpa Tamara, mientras ayuda a Austin a ponerse en pie—. ¿Ya se siente mejor? ¿Su esposa puede llenar la papelería?

—Sí, la esposa lo hará —le digo, y hago sentar a Austin en una silla de la sala de espera. Sigo a Tamara a la oficina de ingresos, donde me entrega unos papeles y una lapicera. Al lado de Austin, que apoya la cabeza en mi hombro, anoto las respuestas que me dicta a las preguntas del formulario del hospital. Saco su billetera del bolsillo de atrás del pantalón, busco su tarjeta de seguro médico y acerco el papel a su mano izquierda para que pueda garabatear una firma dudosa.

—Se te ve muy cansado —le digo cuando me levanto a entregar los papeles.

—Lo estoy. Me siento agotado. Soy un carpintero torpe que no tenía por qué romper ese vidrio..

—No, no lo eres. —Me arrodillo frente a él, tomo en las mías su mano vendada. —Tuviste un accidente. Uno solo. No eres torpe. —Le beso la mano. —No eres torpe —repito, y le beso los ojos, las mejillas, los labios—. Tú lo eres todo para mí —le digo, y veo que al decirlo lo he convertido en la verdad.

Manejo despacio por el pueblo para llevar a Austin a su casa. La casa Leland ya está casi por completo renovada, desde los hermosos canteros de flores hasta los destellos de los cristales nuevos de las ventanas del primer piso. La temperatura cambia de la vereda al jardín, cuando las frondosas ramas entrelazadas de los olmos y los abedules forman un dosel por sobre la tierra oscura y fresca.

Austin me toma de un brazo mientras subimos los escalones del porche.

—Enseguida voy a limpiar —le digo cuando esboza una mueca al ver los pedazos de vidrio que ensucian la entrada—. Pero primero tienes que acostarte.

Arriba, en el cuarto de Austin, saco las sábanas de la cama nueva, que entregaron en cuanto se secaron los pisos. Encuentro un juego limpio en un armario y tiendo la cama.

Abiertas las cobijas, Austin se desliza entre las sábanas. Le quito los zapatos.

—Volveré a ser yo cuando duerma un poco.

—No has dejado de ser tú. —Me agacho y le beso la sien. —¿Querrás cenar, como habíamos dicho?

—Por supuesto.

Se ha dormido antes de que yo llegue a la puerta del cuarto, agotado por el desgaste de energía que un trauma siempre deja a su paso. No quiero que se preocupe... Aún puedo lograr que éste sea un buen día. La mano de Austin sanará, el vidrio se reemplazará —haré que venga un vidriero antes de que él se despierte— y todavía estaremos enamorados.

En la cocina pongo a calentar agua en la pava para preparar café y me siento ante la mesa redonda de roble que Austin descubrió en un remate casero de la parte este del pueblo. El día que me la mostró, en el galpón de atrás, se la veía polvorienta, casi chamuscada, y la mitad del borde ornado faltaba. Dos días más tarde, cuando pasé después del trabajo a plantar las anémonas, la mesa se hallaba en el centro de la cocina, el borde debidamente arreglado, reluciente el roble oscuro. Tiene una marca chata de quemadura de plancha —Austin dice que eso la vuelve un objeto histórico— que ni siquiera se ha molestado en lijar. La marca es demasiado profunda, me dijo, y además es el recuerdo del arduo trabajo que alguien hizo en esta mesa. Le eché los brazos al cuello e interrumpí sus palabras con mis besos. Él recrea todo con su toque afanoso: la casa, el jardín, la mesa, incluso a mí. Me envuelvo el pecho con los brazos para no estremecerme, para no imaginar un mundo sin Austin.

El vidriero me cobrará doble, pero promete volver en media hora para colocar los vidrios faltantes. Cree tener algo que llenará el lugar vacío, si no me importa que no haga juego. Le digo que cualquier cosa que pueda hacer me pondrá feliz, que quiero que la puerta quede terminada. Bebo mi café y lleno un balde con agua jabonosa mientras lo espero. Friego la mesada de la cocina, la pileta y el rastro de sangre que lleva hasta la puerta de entrada. Para cuando llega el vidriero, la escena del accidente está impecable. No le doy ninguna explicación de lo que ha sucedido, salvo que acabamos de decidir terminar con esa maldita puerta. Debe de pensar que somos unos *yuppies* locos, que tiramos el dinero como si no valiera nada.

Me muestra dos posibles cristales. Uno tiene el dibujo de un pájaro de colores imposibles; demasiado chillón, le digo. El otro muestra el grabado de una especie de enredadera, y me parece que sí, que ése irá bien. En veinte minutos los vidrios están colocados, yo extiendo un cheque y despido al vidriero. Arriba, voy en puntas de pie hasta la puerta del cuarto de Austin. Todavía duerme.

Aunque hace calor, lo tapo hasta los hombros con la sábana y me voy.

Con cuatro horas de atraso respecto de mi plan de actividades original, regreso a la oficina a sacar las impresiones láser de los poemas de los chicos. Después de dejar el material en el negocio de fotocopias y elegir el papel en el tono azul preferido de Jorge, estaciono bajo un olivo de la playa de Podestá, el local de comestibles finos de Woodland, donde Zoey me ha contado con indisimulado desdén que, si me esfuerzo un poco, puedo gastar cuarenta dólares en un frasco de mostaza. Saco de la cartera la arrugada lista de compras. Mi letra —¡no puedo creer que apenas esta mañana redacté esta lista para el festín de dos amantes!— me recuerda otra estación, a un mundo de distancia, una esfera donde la posibilidad del dolor más allá del sufrimiento resultaba inconcebible. Quiero obligarme a volver seis horas atrás, a la inmaculada expectativa del arrobamiento absoluto e inocente. Me estoy poniendo melodramática, me digo, y entro en el negocio, desafiando a Zoey y el sentido común mientras compro con determinación los hongos más caros, el mejor vinagre balsámico, una rama entera de estragón seco.

El estragón perfuma la cocina cuando lo desmenuzo en manteca derretida y ajo picado.

—De veras sabes cocinar —dice una voz desde la escalera.

Austin entra en la cocina descalzo, con el pelo alborotado.

—¿Cómo te sientes? —pregunto, y dejo la cuchara de madera junto a la hornalla.

—Muy dolorido… y tonto. —Se agacha con cuidado

hasta sentarse, apoya la mano vendada sobre la mesa, cubriendo la silueta negra de la marca de la plancha.

Me paro tras él, le masajeo los músculos tensos de los hombros. Él me toma los brazos con la mano sana.

—Qué rico olor.

—Pollo al estragón, ensalada griega, hongos, pan francés —le susurro al oído—. Y, si puedes, una copa de Sémillon.

Aso el pollo en el patio de Austin, un círculo de pizarra debajo de un emparrado de madera de secoya cubierto por pesadas glicinas. Tomamos una segunda copa de vino blanco. Doy vuelta el pollo y lo sirvo en los platos.

Mientras corto la porción de Austin, pregunto:

—¿Ahora dejarás que el resto del trabajo lo haga gente contratada?

Espera que me siente y me ponga la servilleta en la falda. Con la mano izquierda, torpe, levanta el primer bocado de pollo.

—Está muy rico, Dolores. Y también el vino.

—No fue eso lo que te pregunté. —Mi tono es serio, severo.

—Está bien, está bien. Ya no queda casi nada… De todos modos, no podré hacer mucho con una sola mano…

—Lo mismo creo. Estás indefenso.

Me guiña un ojo.

—No estoy indefenso… o no del todo.

La comida que hice está rica en serio, así que decido permitirme relajarme. De una manera intelectual, sé que la vigilancia no evita el desastre, que el desastre vendrá esperado o por sorpresa, pero el hombre sentado del otro lado de la mesa bajo la decreciente luz del verano es para mí tan valioso que necesito respirar hondo y soltar mi angustia antes de que estropee la velada. Es mi edad, es el sabio escepticismo de la experiencia lo que convoca estas alarmas que señalan cierta desconfianza en la felicidad. Nuestros tenedores tintinean contra la vajilla floreada de Austin, vajilla que podría ser la de mi madre, desembalada al fin tras yacer durante todo el verano en el piso del salón. Sirvo una porción generosa de hongos en el plato de Austin. Me las ingenio para liberarme del miedo ilógico que he sentido toda la tarde.

Los platos están enjuagados; el lavaplatos, en funcionamiento; las mesadas, limpias, cuando le pregunto a Austin si debo quedarme o irme a casa.

—No te vayas —me dice, y me atrae hacia sí—. Esta noche perteneces aquí. Como ha sido siempre.

Tomo en la mía su mano vendada de blanco.

—Ya que pertenezco aquí, quiero mostrarte algo.

Lo llevo a la entrada, donde los cuatro cristales de la puerta reflejan la luz del vestíbulo,

—No son biselados, pero ahí están —digo, cautelosa.

Toca con los dedos el cristal grabado, que no hace juego con los demás.

—Me gusta. Te representa en un ciento por ciento. A ti y a tu negativa a amoldarte a lo establecido. Me gusta.

—Es mejor que la madera terciada, de todos modos —me justifico—. Y el tema de esta casa es el desequilibrio, como seguramente habrás notado.

—Hablando de desequilibrio, creo que me iré a dormir. Si no te molesta.

—Claro. —Lo tomo de un brazo y lo apoyo sobre mi hombro.

Subimos juntos las escaleras. Luego le saco la camisa, lo veo ir al baño y oigo los caños díscolos que allí gorgotean.

—Es probable que esta noche tengas que ocuparte del agua —me dice mientras se acurruca en la cama, a mi lado.

—Trato hecho —le respondo, y pongo sobre mi pecho su cabeza oscura.

—Gracias, Dolores. Por hoy… y por encontrarme.

—Tú me encontraste a mí, amor. Tú me encontraste.

Siento que su respiración se suaviza y se vuelve más lenta, y sé que se ha dormido.

Digan lo que dijeren en contrario los textos románticos populares. declaren lo que declararen revistas como *Cosmopolitan* y *Esquire,* cuando sostengo a ese hombre contra mi pecho siento una intimidad que sin duda el sexo más desenfrenado jamás ha inspirado. Con las puntas de los dedos sigo el dibujo de su frente, sus mejillas, su mentón. Su mano sana se enrosca en la mía cuando le acaricio la palma. Estamos unidos mano con mano, corazón con corazón, aliento con aliento. Nunca estuve tan cerca de nadie, ni de papá ni de Todd ni de Henry Talmouth. Me asusta, esta intimidad exigente, no porque me esté perdiendo en ella sino porque estoy descubriéndome, porque me vuelve entera como nunca lo he sido. Este hombre que tengo en los brazos me serena; incluso sus pequeños defectos, que chocan con los míos, me hacen sentir que la balanza de mi alma se equilibra por primera vez en mi vida.

Me acomodo contra las almohadas y muevo el cuerpo de Austin de modo que duerma sobre el lado izquierdo. Me acurruco contra él y le protejo con un brazo la mano herida, para que descanse sobre las cobijas. Una brisa perdida levanta la cortina de la ventana del dormitorio y nos roza la cara.

En la salud y en la enfermedad, me digo, y me duermo.

CAPÍTULO OCHO

Hace dos días que desempaco cajas. Los anaqueles que van desde el piso al cielo raso, que Rick Day me ayudó a colocar en la pared este del salón, están casi llenos. Todo lo que poseo, todo lo que envié desde Nueva York, ha encontrado su lugar en armarios y alacenas, estantes y cajones. Hice gran parte de las cosas con una sola mano, pero ahora el vendaje más liviano me permite más movimiento, de modo que esta mañana terminaré con los libros y habré cumplido mi tarea. Salvo lo único que falta: encontrar el sofá y los sillones que completarán esta habitación. En el fondo de la última caja encuentro un sobre de papel madera escrito con letra de Lupe: "Señor Austin - Espejo". Meto la mano en el sobre y saco mi foto, la que mantuve durante años en el espejo del tocador de mi dormitorio de la infancia. El tocador está arriba, lleno de ropa, pero pienso encontrar un portarretrato para proteger la foto ajada y la haré descansar en los anaqueles de aquí, entre los libros.

Cuando he aplastado las cajas y las he llevado atrás, al recipiente de desperdicios para reciclar, y he centrado la carpeta india en el piso barrido del salón, me acomodo en la mecedora y recuesto la cabeza contra el respaldo, meditando en el semestre de cátedra, que empieza la semana que viene. Tengo la suerte de compartir una secretaria de primera categoría y un decano benevolente. La secretaria de primera categoría, Annie Martin, ha preparado la computadora en mi oficina en King Hall y dispuesto los pocos libros de Derecho que heredé de mi predecesor en los estantes que ha vuelto obsoletos el acceso electrónico a la biblioteca de la facultad. Ayer, cuando fui en el Jeep al *campus,* encontré a Annie encaramada en lo alto de una escalera de tres peldaños, quitando el polvo a los rincones más lejanos del anaquel más elevado. Bajó de la escalera, me estrechó la mano y pasó las dos horas siguientes mostrándome los secretos del correo electrónico y el sistema computadorizado de la universidad. El decano benevolente, John Decker, me ha dado un programa académico ideal, según el cual daré clases por la mañana y cumpliré con tareas de oficina en las primeras horas de la tarde. Dedicarme a la carpintería en la casa me permitió la transición perfecta de la vida de Nueva York a la de California, pero agradezco que ya haya concluido, que la casa Leland sea ahora mi hogar y las notas prolijas de las disertaciones de mis primeras semanas estén completas en el escritorio de mi estudio.

Mis ojos caen sobre un florero con gladiolos púrpura. Dolores los vio floreciendo en el jardín lateral y discutió conmigo si cortarlos o dejarlos florecer intactos. "Los verás adentro", dijo con tono convincente contra mis protestas naturalistas, y salió de la cocina con unas tijeras en la mano. Permanecieron en un botellón de vino hasta ayer, cuando me trajo este florero. Una de las pocas cosas que ha conservado de la cocina de su madre, me dijo mientras hacía correr el agua sobre los tallos y los recortaba para ponerlos en el florero. Le dije que se estaba volviendo doméstica. Me salpicó, con las dos manos, antes de continuar con las flores y acomodarlas de manera artística.

Es mujer de negocios, enfermera, maestra, poeta, comediante, mi amante. Me repito estas palabras una y otra vez —mi amante— y recuerdo sus manos acariciándome el pelo mientras yo yacía en la camilla del hospital, apenas consciente del hilo quirúrgico que me unía músculos y piel. Ella tiene una faceta que sólo he detectado en ciertos momentos con Jorge, una capacidad de cuidar sin disminuir, de atender sin quitar. Más aún; sospecho que permitiría que la cuidaran, si surgiera la necesidad, pese a la apariencia de mujer sola, fuerte y triunfante que le gusta dar. Sin embargo, puede ser también calculadora y nada sentimental, como el día que enumeró las alegrías relativas que podían obtenerse de las flores vivas apenas entrevistas, contra las flores cortadas constantemente visibles.

Los gladiolos me recuerdan que debo redondear los planes para nuestro inminente viaje al pueblo fantasma de Nevada City en busca de antigüedades y mi último fin de semana como desempleado, así que me levanto de la mecedora y me dirijo a la cocina para llamar a la inmobiliaria.

Atiende Zoey. Después de hacerme prometer que le haré ver la casa renovada, me pasa con Dolores.

—Hola —me saluda con su voz de oficina.

—Quería hablarte sobre el fin de semana… ¿Aún está en pie?

—Tendré que verificar mis actividades sociales...

—Pensé que toda tu actividad social era yo.

—Entonces debe de seguir en pie —replica.

—Bueno, en serio —digo—. Reservaré para el sábado en una posada de la calle Broad... ¿Te parece bien? Saldremos temprano y subiremos despacio por la montaña.

—¿Muy temprano?

—Si es demasiado temprano, iré a sacarte de la cama.

Se ríe y me responde que sí, que iremos de viaje el fin de semana.

Recuerdo Nevada City porque era la parada para el almuerzo de mi padre al regresar de nuestras excursiones, pero no espero encontrarla igual. La posada que elijo es Sargent House, en el extremo de la calle Broad. La propietaria me dice que fue construida en 1856 por un líder cívico y ex senador, Aaron A. Sargent. No me aconseja comprar en ninguno de los negocios de antigüedades cercanos al pueblo pero me asegura que encontraré muchos ejemplos en sus habitaciones. Para darme ideas, agrega con tono cordial.

Bajo del porche rumbo al *campus* cuando oigo que suena el teléfono. Volveré en tres horas, me digo; hablaré entonces. Mientras ubico una caja de papeles en la parte posterior del Jeep, el débil tintineo disminuye.

Aunque es la hora del almuerzo cuando subo las escaleras a mi oficina en King Hall, Annie está trabajando ante la pantalla de su computadora, con un sándwich de atún a medio comer apoyado en una servilleta junto a un cartón de leche chocolatada asomando la cabeza por su puerta, le digo que hablaré con ella cuando haya terminado. El resto del edificio se halla en silencio, como un recipiente hueco que espera ser llenado con pasos, puertas que se cierran, ecos de conversación de los estudiantes.

Mi oficina es luminosa, el escritorio está libre. En la pantalla de mi computadora hay tres mensajes autoadhesivos. El primero, de color rosa, tiene fecha de ayer, a las 11:45. Con la letra de Annie, dice: "Llame al doctor Hindari para volver a hacer análisis". Este mensaje me confunde, de modo que saco de la pantalla el segundo papelito, azul: "Hola, profesor Barclay. Estoy inscripto en su clase de Contratos, a las 10:30. El lunes debo ausentarme de la ciudad, a causa de deberes familiares ineludibles, pero por favor tenga en cuenta que volveré el martes. Jason Loman". Insolente, el muchachito, pienso mientras murmuro la palabra "ineludible", no muy seguro de si debe complacerme que, aun antes de su ausencia, el chico haya previsto la excusa para no asistir a clase. El tercer papel, rosa otra vez, es una repetición del primero, y es de esta mañana, más o menos de la hora en que salí de Woodland para venir al *campus* "Llame al doctor Hindari", dice, con las letras rizadas de Annie.

Enciendo la computadora y oigo los ruidos que hace al ponerse en funcionamiento. En la prolija pila de papeles centrados sobre mi escritorio, encuentro la lista de los médicos del plan de salud y anoto el número de Hindari. Disco y cuento las llamadas: tres, cuatro, cinco.

—Consultorio. Habla Carlene.

—¿Carlene? Soy Austin Barclay, un paciente nuevo del doctor Hindari. Me sometí a un examen general hace dos semanas. B-A-R-C-L-A-Y. Aquí tengo un mensaje para que llamara…

—Sí, el doctor quería hablar personalmente con usted,

pero ahora está en cirugía. ¿Puede volver a llamar a las tres y media?

Le respondo que sí, me pregunto un breve instante cuál será el propósito de las llamadas de Hindari, y lo olvido por completo cuando entra Annie con la lista impresa de los alumnos inscriptos.

—¿Quiere mostrarme cómo ingresar una ausencia justificada, el primer día de clase? —le pregunto.

Pasamos las dos horas siguientes explorando los sistemas electrónicos de asistencia, las listas de rotación del personal docente, la agenda y los deberes de asesoría. Casi concluido mi curso acelerado de tareas administrativas, le agradezco a Annie y le digo que la veré a primera hora del lunes a la mañana, llueve o truene.

—El primer día deseará que llueva —bromea, y se marcha a su oficina.

Los mensajes color rosa, que he pegado en un rincón de mi escritorio, me llaman la atención cuando me paro para irme. Intento una vez más comunicarme con la oficina del doctor Hindari. Una voz de mujer, no la de Carlene, me informa que el doctor está en una conferencia y me pregunta si hay un número al que pueda llamarme. Le recuerdo que en sus archivos tiene el número de mi casa, prometo volver a llamar y corto. En casa, en Woodland, borro otros dos mensajes de Carlene de la cinta del contestador automático y pienso si llamar a la clínica una última vez. Brevemente se me ocurre que la sala de guardia del hospital puede haberle enviado papeles concernientes al tratamiento de mi mano y que el buen doctor quiere controlar los puntos; luego dejo el tema de lado. Son casi las cinco y media, así que vuelvo a colgar el teléfono y me digo que volveré a intentar el lunes desde mi oficina, antes de las clases.

El sábado a la mañana me tomo tiempo para pasar por lo de Eddie para recoger el *New York Times*, pero llego al departamento de Dolores a las siete y media. Golpeo la puerta y espero. Comienzo a considerar las sanciones por irrumpir en forma ilegal, cuando la puerta se abre y Dolores se asoma, su cabello un alboroto de rulos, unas medias de Garfield en los pies.

—Pensé que ibas a dejarme dormir un poco más —se queja con voz ablandada por el sueño.

—Y yo pensé que íbamos a salir temprano.

—¿Qué apuro hay? Ven a la cama conmigo. Tenemos todo el tiempo del mundo. —Me lleva a su cuarto y me empuja a una pila desaliñada de frazadas y sábanas que todavía conservan el calor de su forma dormida.

—Eres dura para levantarte —le digo cuando se acurruca contra mí.

—Ya veremos quién es más difícil de levantar —me dice sonriendo mientras me desabotona la camisa.

Cuando nos despertamos, a una hora —según Dolores— más respetable, las diez, la observo mientras va y viene por la cocina, haciendo café, alimentando a Milton, sacándose de la frente un mechón de pelo enredado. Todavía lleva puesta una camiseta descolorida y esas sorprendentes medias anaranjadas. Cuán sencilla es, me maravillo mientras la contemplo alisar el diario ("¡Te traen el *Times*! ¡Qué lujo impensable para Woodland!"). Pone a Milton en su falda y bebe café. Más tarde, en la autopista 80, por encima de Aubum, me vuelvo a mirarla, las piernas delgadas levantadas de modo que sus pies descalzos descansan sobre el tablero, la cara ladeada hacia el viento. Levanto mi mano vendada y la apoyo en su regazo.

—¿Así que venías acá con tu padre? —me pregunta, al tiempo que se sube los anteojos hasta el puente de la nariz.

—Muchas veces. Él era bioquímico, y pasaba en el laboratorio la mayor parte de su vida laboral, pero amaba estas montañas. El padre de él, mi abuelo, trajo acá a la familia en la década de los 30, antes de que empezaran a construir las supercarreteras. Papá solía decirme que el laboratorio era pura ciencia, pero que las montañas eran pura poesía.

Dolores se echa atrás en el asiento.

—¿Y el tuyo? —le pregunto—. A ustedes también les gustaba acampar, ¿no?

Se ríe.

—Cuando Todd y yo éramos chicos, mi padre tenía una camioneta rural. Dejaba que la cargáramos nosotros, ya que afirmaba que debíamos aprender a enfrentar nuestras elecciones, y nosotros la llenábamos de frazadas y juguetes y libros y espaguetis en lata y le decíamos: "Muy bien, papá, estamos listos". Después íbamos por el campo hasta que papá encontraba algún lugar que le parecía bueno, y pasábamos el día ahí. A la noche volvíamos al Rambler, nuestro campamento, como lo llamábamos, y comíamos lo que habíamos llevado y dormíamos en la camioneta con los asientos reclinados.

Calla un momento, mira por la ventanilla mientras siguen pasando robles y pinos.

—Cuando nos dejaba hacer esas elecciones, sabía que también él tendría que sufrir las consecuencias.

Le acaricio el muslo.

—Cuando crecimos, usábamos mochilas de verdad y botas de sesenta dólares y bolsos marrones —continúa—, y entonces, por supuesto, ya no queríamos ir a las montañas con nuestro padre. —Ríe. —¡Sobre todo en un Rambler, por el amor de Dios!

Mientras escucho a Dolores que me cuenta historias de su familia, pienso en cómo llegamos a conocer a alguien, en cómo el escuchar a una persona reinventar su pasado la define tanto como el corte de su pelo o el título de su tarjeta comercial. O el hecho de que use medias de Garfield para ir a dormir.

—Te toca a ti —me dice, con los ojos llenos de risa—. Cuéntame todo de esa novia de la escuela secundaria. Todo.

O que haga preguntas impertinentes.

—Era la chica más callada de mi clase. Tan callada, tan dulce, que podrías imaginarla pensando o sintiendo cualquier cosa que quisieras... Y durante toda la secundaria siempre pensé que me casaría con ella.

—Y vivir felices para siempre.

—En ese entonces te habría respondido que sí, pero ahora veo con claridad que el "para siempre" no habría llegado nunca... o habría llegado demasiado pronto, según cómo lo mires... pero...

—¿Pero?

—Aun cuando sabes que algo es tonto, o inapropiado, o sólo un error, queda un residuo... una destilación de la emoción, que se borra... Puedes contemplar los detalles específicos de, por ejemplo, una relación, y darte cuenta de que, por supuesto, era un caso perdido desde el principio, pero queda un sentimiento, una especie de expectativa romántica, que se recicla y se abre paso hacia lo que uno desea para el presente...

—¡Ah! Así que no soy la única culpable de reducir mis expectativas.

—Creo que acabas de definir lo que significa crecer.

—¿Sí? Lo que significa crecer, o salir con Henry Talmouth —dice Dolores llanamente.

—¿Qué?

—Me crees una buena persona, pero no lo soy... Tuve una relación con un hombre casado... un hombre casado muy adinerado.

—Sigo creyendo que eres una buena persona.

Me mira. No puede resistir agregar:

—Y antes fumaba.

—Ah, qué chica mala —le digo riendo.

—Cuando me presenté en mi primer empleo, mentí sobre mi experiencia.

—Tendrás que esforzarte más.

—Yo... no limpio mi departamento muy a menudo.

—Pero alimentas a tu gato.

—Critico a Zoey.

—Zoey te critica a ti... ¿Te rindes?

—Cuando no puedo ganar, abandono.

Esta vez soy yo el que no puede resistir:

—Se supone que debes abandonar cuando vas ganando.

Dolores gime y me da una palmada en el hombro.

—Yo me lo busqué.

—No hay duda.

La casa de Sargent es llamativa... más de lo que mis gustos aprueban, pero también es agradable y auténtica pese a todo. La ventana de nuestra *suite* da a un césped cuidado que corre colina abajo hasta el arroyo Deer, que avanza lento y playo en la temporada seca de principios del otoño californiano. Los adornos de cintas de la colcha tejida a mano que cubre la cama de bronce se ven realzados por un borde pintado que corre por las paredes en el ángulo con el cielo raso de casi cuatro metros de alto. Qué poco elegante, comenta Dolores con una risita, tan fuerte que le tapo la boca con la mano vendada y la arrojo en la cama, lo cual sólo logra hacerla reír más.

—Ya sé a quién le encantaría esta decoración —me dice cuando le destapo la boca.

—No voy a alentarte —contesto con tono reprobatorio.

—Eres igual que Zoey —replica. Enseguida agrega, mientras finjo amordazarla: —Está bien, está bien... Me portaré bien, lo prometo. Me portaré bien.

—Siempre te portas bien —le digo, y la beso hasta que calla.

—¿Quieres hacerlo otra vez? —me pregunta, con las manos dentro de mi camisa.

—Por supuesto. Fue para eso que te traje aquí.

Hacemos el amor de nuevo, por segunda vez en seis horas, bajo la luz montañosa de las primeras horas de la tarde, como si fuéramos a un tiempo adolescentes y una pareja casada hace años; el tacto nos dice más a cada uno del otro que lo que lograría una conversación, y sin embargo nuestro deseo se preocupa tanto por los secretos lugares del alma como por los arrobamientos privados del cuerpo. Es como si Dolores se volviera más Dolores con cada conversación, cada acto de amor, y yo, por transposición, me volviera más yo.

Es Dolores quien se levanta e insiste en que salgamos a la calle. Podemos al menos ser unos decadentes atléticos, me dice camino al baño. Después de todo, hemos venido a las montañas con una misión.

La misión nos lleva de arriba abajo de las calles de Nevada City. Nos cansamos con facilidad de los negocios pseudoartísticos que colman los caminos para turistas, y pronto nos encontramos lejos de las rutas trilladas, estudiando los cuidados jardines en miniatura de las casas de verdad, no esos otros, los de tarjeta postal, deslumbrantes y adornados con los colores de San Francisco, sino aquellos en los que hay indicios de la gente que vive allí: en éste, un neumático colgado de un roble, a modo de hamaca; en aquél, tres gatitos blancos y negros que se asoman detrás de un cajón abandonado bajo un rosal. Dolores descubre un sofá de terciopelo descolorido cubierto por unos diarios amarillentos, con los almohadones rotos y el relleno esparcido contra la gastada pintura azul del porche de la casita vulgar.

—Ahí tienes —me dice, tomándome del brazo—. Mira el trabajo de la madera. Sólo tienes que hacerlo tapizar de nuevo, y quedará perfecto.

—Es la casa de alguien —protesto—. Esto no es un negocio, el sillón no tiene cartel de venta.

—¡Tonto! Golpea a la puerta y haz una oferta. Lo peor que pueden decirte es "no".

—Pero acá vive alguien... Estaríamos invadiendo su intimidad.

—No sabes nada de ventas. —Exhala un suspiro exagerado.

Antes de que pueda detenerla, ya está golpeando a la

puerta. Una cortina de encaje se corre a un costado de una ventana que da al porche. Unos momentos después la puerta se abre. Una muchacha con un embarazo inmenso, con pelo castaño que le cae lacio alrededor de la cara, escucha a Dolores, que habla rápido y señala el sofá.

—No sé cuánto querría mi marido... No me parece mucho —oigo que dice la muchacha, con voz lenta. Un televisor que hay dentro de la casa llena el aire con risas falsas.

—Podríamos pagar hasta cincuenta —concede Dolores—. Pero no más.

—Pagaremos ciento cincuenta —intervengo, tras subir los escalones de a dos por vez y sacar mi billetera al llegar al porche—. ¿Su esposo aceptará esa suma?

—Pero... —tartamudea Dolores.

—Gracias —le digo con firmeza a la muchacha, que ya ha extendido la mano para tomar los billetes prolijamente doblados que le pongo en la palma.

—Creo que aceptará —dice—. Sí, creo que mi marido aceptará. —La puerta se cierra, enmudeciendo las voces imbéciles del televisor.

—¡Austin! —exclama Dolores, perpleja—. ¡Podrías haberlo comprado por cincuenta! ¡Yo podría haberlo comprado por cincuenta!

—Puedo pagar más —replico—. Y es obvio que ellos lo necesitan, con un hijo en camino... No estaba en venta, para empezar.

—¡De eso se trata! No estaba en venta, nadie les había ofrecido ni un centavo por el sofá... ¡Para ellos es ganancia pura!

La tomo de los hombros y la acerco a mí.

—¿Acaso tenemos una diferencia moral a este respecto?

—No es una diferencia moral, sino práctica.

—¿Habla la mujer de negocios?

—La mujer realista. Si la gama de posibilidades...

—Basta —la interrumpo, poniéndole los dedos sobre la boca—. La muchacha está contenta, y nosotros también. Demos la discusión por terminada.

Por un momento me mira como si quisiera decir algo más, quedarse con la última palabra. Luego frunce los labios, da media vuelta y me llama mientras se dirige a la vereda.

—Conozco un buen tapicero en Woodland... Queda en la esquina de Main y Fifth.

Después de cenar en el hotel National, después de una caminata a la luz de la luna por el Tribulation Trail, después de que Dolores se duerme a mi lado, apretando con los brazos desnudos la colcha contra el pecho, recuerdo su marcha resuelta hacia la puerta de la casita, su propuesta decidida a la demacrada futura madre. En lugar de tornarla menos adorable, esta arista áspera que ha mostrado amplifica su bondad, eleva, en contraste, su valor. Clair Mariani me acude a la mente, sus diatribas decisivas y a veces perversas, y comienzo a entender por qué Jack podría amarla. Me quedo dormido felicitándome por descubrir que, cuando amamos, amamos a la persona íntegra, no sólo algunos de sus atributos, y resuelvo tapizar el sofá de azul oscuro. Y pedirle a Dolores que se mude conmigo.

El lunes a la mañana temprano, cuando estoy terminando mi café en la luminosa cocina de la casa Leland, busco el nombre de la tapicería que me mencionó Dolores y anoto el número en mi agenda. Junto con los mensajes de Annie, leo uno mío, escrito en letras cuadradas encima de los rasgos redondeados de mi secretaria, para recordarme llamar al doctor Hindari a primera hora del lunes. En cuanto entro en mi oficina tomo el teléfono y disco el número de la clínica. Carlene me informa que el doctor está. Mientras lo espero, dibujo círculos en el papel rosa del mensaje. Cuando Hindari viene al teléfono, he cubierto con estos garabatos todo el mensaje original.

—Hola, señor Barclay. Iba a pedirle a Carlene que volviera a llamarlo esta mañana —me dice, con acento indio, agradable.

—Usted es difícil de encontrar —digo.

—Ésta es una clínica de un solo médico... La maldición de Hipócrates. —Ríe, y su risa es como una tos cansada. —Pero ahora me ha encontrado, y me alegro, porque necesitamos volver a hacer unos análisis... También en el laboratorio hay poca gente, y parece que han cometido un error.

—¿Y?

—No tiene por qué preocuparse... Sólo debemos extraerle un poco más de sangre.

—Muy bien... otro día de extracción de sangre en Davis. —Tiendo la mano hasta detrás de la computadora y presiono el botón de encendido, arrullado por las entonaciones de la voz profunda del doctor Hindari.

—Sí. No demorará mucho... ¿Pero podría ser lo antes posible? Para completar los papeles requeridos para el examen físico. Si pudiera esta tarde...

—Iré a última hora. ¿Está bien?

—Claro. Carlene preparará los formularios... Terminaremos enseguida, y podremos hacer de nuevo esos análisis.

—Muy bien, entonces. Gracias, doctor.

El primer día de clases pasa en un remolino, y quedo inmerso en la vorágine de septiembre de caras nuevas, temas nuevos, nuevo territorio intelectual. Mis disertaciones introductorias marchan bien, aunque voy haciéndome camino a medida que hablo. No es un tribunal, debo recordarme a lo largo del día; no es un tribunal sino una suerte de conferencia. Me dejo llevar a tal punto por mis encuentros con estudiantes y colegas, que casi olvido mi turno en la clínica de Hindari.

Son casi las cinco cuando paro en la playa de estacionamiento, directamente frente al cuadrado edificio de estuco que alberga la Corporación Médica de Davis. Carlene levanta la vista de su escritorio cuando entro en la recepción.

—Ah, ya llegó, señor Barclay. El doctor Hindari quería atenderlo personalmente. Tome asiento un segundo. —Desaparece tras una puerta de vidrio opaco.

Apenas un momento después la puerta vuelve a abrirse y el doctor Hindari me hace señas de que entre en el laboratorio. Es un hombre corpulento, de rasgos fuertes pero amables. Me indica con un gesto una silla de plástico amarillo con un solo apoyabrazos, del lado izquierdo.

Me habla mientras se pone un par de guantes de goma.

—Ya que está aquí, ¿me permite ver su mano? —me pregunta.

—Quisiera que me sacaran las vendas —digo, al tiempo que extiendo el brazo izquierdo sobre el apoyabrazos y me enrollo con torpeza la manga de la camisa con la mano vendada.

Me extrae sangre, tres tubos, mientras observo. El proceso me recuerda a mi padre, sus mediciones cuidadosas, sus movimientos meticulosos dentro de la ciencia pura de su laboratorio. El doctor Hindari tapa el tercer tubo, anota algo que parece una nota ilegible en la etiqueta autoadhesiva —no es de sorprender que el laboratorio cometa errores, pienso— y me baja la manga. Me sorprende cuando me abotona el puño de la camisa y me palmea la muñeca antes de hablar.

—¿Qué fue lo que hizo con esa mano? —Me quita la gasa de la mano derecha y palpa y presiona en la línea cosida de carne cicatrizada.

Le cuento de la casa, la puerta de vidrio, el cristal que no hace juego con los demás, que siempre denotará mi descuido pero que ahora da la sensación de combinar con el carácter de la casa Leland.

Cuando concluyo mi recital él ha terminado de aplicarme un apósito angosto en la mano. Flexiono los dedos.

—Toda una diferencia —comento.

—Está cicatrizando bien —dice, y garabatea más notas imposibles en su anotador. Se para, deja los papeles en un estante, se quita los guantes de goma y se lava las manos. De espaldas a mí, vuelve a hablar.

—En unos diez días lo llamaremos... Lo llamaré en cuanto vuelvan los resultados.

—¿Entonces no tengo de qué preocuparme? —bromeo, pero él no parece darse cuenta.

—No, por ahora no. Bueno, hasta pronto. —No se vuelve a saludarme cuando me despido. Me demoro varios segundos mirando su espalda, sus hombros que se mueven mientras se enjuaga las manos una y otra vez, hasta que me doy cuenta de que me ha despachado. No veo a Carlene cuando atravieso la recepción.

Qué tipo raro, el doctor Hindari, me digo mientras subo al Jeep y me dirijo a casa.

CAPÍTULO NUEVE

Pongo la maceta de la rosa té en el piso de la parte posterior del Volvo, sujetando la base con un par de zapatillas viejas, para que no caiga cuando cruce el pueblo rumbo al pequeño chalé de los Murphy. Ni siquiera el saber que Dodie y Frank están más allá de toda jardinería me impide creer que apreciarán el regalo, que el empleado del vivero me prometió viviría durante años en su recipiente de arcilla y requeriría apenas una leve poda y un toque de fertilizante. La imagino en el patio, o en el porche, ante la puerta de la cocina, para que Dodie pueda verla florecida cuando se siente a la mesa con Frank.

Llevaré conmigo a Austin cuando entregue el regalo de bienvenida a la nueva casa. Otra de mis pruebas, diría acaso Zoey, y tendría cierta razón. No puedo expresar en palabras la asustada oleada de desconfianza que se elevó en mi pecho cuando, bajando de las colinas en el crepúsculo, Austin me preguntó si quería ir a vivir con él. De repente, sin advertencia alguna, en medio de una conversación acerca de un juicio *ad honorem* en que había actuado en nombre de unos trabajadores del condado de Yolo, que surgió cuando yo le hice un comentario sobre la choza de una sola habitación que Jorge compartía con su padre, su tío y su tía.

—Es como la Edad Media —dije—. Jorge duerme en una colchoneta, en el piso, lo que significa que tiene que despertarse a las cuatro de la madrugada, cuando Julián y Lilia y Antonio se levantan para ir a trabajar al campo. Jorge tiene sólo seis años, Austin.

—Ven a vivir conmigo —dijo Austin, así no más.

No pude responderle. Sólo atiné a mirar por la ventanilla las siluetas de los robles, cuyos contornos oscuros contra el resplandor del sol poniente relucían como perfiles serranos, como si nos dirigiéramos de nuevo a las montañas en lugar de regresar al valle. Él estaba serio, aunque no volvió a preguntar, y cuando puso una cinta de Bob Marley en el pasacasetes comprendí que por el momento había dejado el tema de lado.

¿Por qué mis reservas en cuanto a vivir con este hombre, este hombre al que sé amo sin medida? No puedo echarle la culpa a Henry Talmouth, aunque me gustaría, porque sin duda merece que se lo culpe de algo, pero no puedo decir que alguna vez haya esperado o deseado unir mi vida con la de Henry Talmouth de esta manera particular y definitiva. De modo que desecho el miedo nacido de la decepción. Tampoco puedo encontrarle origen en mi historia, en la absoluta devoción que sentía por papá, a menos que use una lente freudiana; además, Austin es todo lo que yo alguna vez podría esperar de un hombre —incluso más—, de modo que tampoco corresponde una lectura edípica. No puedo atribuir con honestidad esta responsabilidad a los matrimonios que he observado, a lo largo de años y años de estudios de campo. Debe de ser algo que hay dentro de mí, pienso, un temor congénito y ansioso que no logro definir con claridad suficiente.

Quiero que Austin conozca a Dodie y Frank porque quiero que comprenda dónde debe terminar esto, esta gran pasión romántica. Quiero que valore el modo como las manos de Frank encuentran su camino inconsciente hasta los hombros de Dodie, cómo la voz de Dodie cambia automáticamente de timbre cuando pronuncia la sílaba única del nombre de Frank. Pero lo que le digo a Austin el sábado a la mañana cuando paso a buscarlo por la casa Leland es que quiero que lleve por mí la pesada maceta hasta el chalé de los Murphy.

Se inclina por sobre el asiento para besarme.

—Por supuesto —me dice—. Hoy seré tu bracero.

—Por fin vuelves a tener dos manos —comento al observar que ya no lleva las vendas en la mano derecha.

Tiende la mano hacia mí, con la palma abierta.

—Completamente curado… con una cicatriz para recordarte.

—¿A mí? ¡Yo no rompí el maldito vidrio!

—Por supuesto que no lo rompiste tú… Tú lo mejoraste —me responde, y con el dorso de la mano me acaricia la mejilla, extiende los dedos sobre mis labios para que yo pueda besárselos.

Dodie alza las manos a la cara de Austin en cuanto Frank abre la puerta. Lo besa, y luego a mí, y Austin le estrecha la mano a Frank.

Austin lleva a Frank al auto. Dodie está en la cocina, llenando vasos con té helado. Yo miro desde la ventana mientras Austin levanta la maceta del Volvo y la coloca en la vereda para que Frank la admire. Se agacha, la alza hasta su pecho y sigue a Frank alrededor de la casa hasta el patio. Dodie está a mi lado.

—Parece un buen hombre, Dolores —me dice, maternal, con intención inquisitiva.

—Lo es, Dodie. Es bueno —la tranquilizo. Al oír que los hombres suben los peldaños del porche, la tomo de la mano. —Ven a ver lo que trajimos. Un poco de los viejos tiempos para recordar.

En la cocina, Dodie aplaude al ver la rosa. Llama a Frank para que le corte una flor, en ese mismo momento, y la pone en un pequeño florero que saca del aparador del salón. Frank y Austin se sientan a la mesa de la cocina con nosotras, donde bebemos té helado y escuchamos a Dodie relatar anécdotas de mi infancia. Aquél es el mueble de Pascuas, le indico a Austin cuando nos hallamos de pie en la puerta, despidiéndonos. Mientras vamos hacia el auto, Dodie ríe, una campanita tintineante, de algo que le ha dicho Frank.

—Les encontraste la casa perfecta —me comenta Austin en el cordón de la calle Tryon—. También encontraste la casa perfecta para mí. Y podrías…

Me parece oír la pregunta que él no formula: ya que amo la casa Leland, ya que lo amo a él, ¿mudarme no es acaso la elección correcta? ¿No lo pensaré?

—Le encantó el rosal —digo, eludiendo sus insinuaciones—. Y deberías haber visto los *delphiniums* que había en el vivero de Makado… Quedarían perfectos en el patio…

—Todavía hace demasiado calor —me interrumpe con una brusquedad que no le reconozco—. Debes esperar al otoño para plantar los *delphiniums*.

Por primera vez en los meses en que nos conocemos, algo cercano al enojo colorea nuestras palabras. Pero él lo esquiva con rapidez, con un recordatorio sucinto de que esta noche preparará la cena para los dos. Lo he herido con mi distracción intencional, que él debe de interpretar como una frivolidad desubicada cuando es en realidad una desconfianza nerviosa de mi buena suerte, la herencia constitucional de la paradoja trágica de entrar en el mundo sin madre pero viva.

Vivir con Austin es el único pensamiento que me ocupa la mente mientras abro la puerta del departamento y desenredo a Milton de mis tobillos. Con aire ausente abro una lata de comida para él y me siento a contemplarlo comer.

Cuando una persona parece haber encontrado la consumación de cada expectativa y deseo románticos, ¿por qué la cautela asoma en su fea cabeza? ¿Por qué la persona no puede soltarse y creer en la extensión de la felicidad, la permanencia de la dicha, la perseverancia del vínculo? ¿Por qué la persona no puede, maldición, tener fe en lo que le está sucediendo? ¿Qué es lo que me vuelve tan aprensiva acerca de la invitación de Austin a vivir con él, a ser su amor?

Ayer Zoey me calificó de "cínica incurable", cuando le mostré una casa a una pareja cuyo divorcio predije. Le rogué que apostáramos —yo apostaba a que sucedería antes de pasados diez meses—, pero ella no quiso contestarme.

—Ni siquiera se escuchan, Zoe. El hombre no hacía más que decir estupideces sobre los cambios en las tasas de interés, y ella no dejaba de decir: "Pero, Ken, ¿dónde pondremos mi fax?". ¡Entre ellos la comunicación no existe!

A Zoey no le impresionaron mis predicciones. Peor aún, creo que estaba enojada.

—Eres una cínica incurable, Dolores —me dijo con severidad.

De modo que aquí estoy, sentada en la cocina de mi departamento deliberadamente inapropiado, y me pregunto: ¿Es cierto? ¿Un cinismo como el mío hace que la gente se resista a aceptar su enamoramiento?

Siento como si necesitara hacer un salto de fe, como si debiera descartar los residuos de las decepciones exageradas reunidas a lo largo de toda la vida —la muerte inesperada de mi padre, mi prematuro marchitamiento literario, mi relación sin salida con Henry Talmouth— para salvar un abismo de duda y entrar en un terreno tan increíble como cualquiera que yo pudiera idear en forma intencional. Quiero hacerlo, puedo hacerlo, me digo, hasta que los movimientos de la cola de Milton me avisan que estoy apretándolo muy fuerte, que, aunque no a mí misma, al menos a él lo he convencido de mi sinceridad.

En las últimas horas de la tarde, cuando olfateo el aroma del carbón al avanzar hasta el patio de la casa Leland, ruego que Austin no saque este tema en la conversación.

—Moras —le digo cuando su beso me roza la mejilla, y levanto las canastas de las frutas oscuras para que las inspeccione.

Toma una entre los dedos, la estudia y se le echa en la boca.

—Muy rica. ¿Con la trucha o después?

Trata de mostrarse amable.

—¿Cuándo las quieres tú? —le pregunto—. Puedes comerlas ahora, si prefieres…

—Después —dice, y se atarea con la parrilla.

La abrupta transición de fingida amabilidad a pétreo silencio me indica que perderé cualquier carta que juegue. Si vamos a tener esta conversación, mejor que sea ahora, me digo. Llevo las moras a la cocina, las pongo con delicadeza en un colador y hago que el agua fría caiga en cascada sobre ellas. Respiro hondo, cierro la canilla y dejo las moras para que escurran sobre la mesada.

Austin no está junto a la parrilla. Agachado sobre el borde del patio de pizarra, remueve la tierra de los canteros con una palita que tiene un absurdo mango de plástico rojo. De pronto recuerdo que es mi palita, la que Austin usó para clavar los clavos en la madera terciada de la puerta de entrada el día que lo conocí, la misma palita que yo usé para plantar las anémonas de Trevor Tuskes. La clava en la tierra y la da vuelta, la clava y la da vuelta, con un ritmo rápido e insistente que me transmite un subtexto que voy descifrando mientras me quedo sentada en la pizarra fresca junto a él, hasta que le detengo la mano cuando la palita se hunde en la tierra.

—No hagamos esto —le digo—. Podemos encontrar una solución, ¿no crees?

Aunque está furioso conmigo, se para y me ayuda a pararme y me sienta a la mesa bajo las glicinas. Austin entra y sale con rapidez de la cocina, trae a la mesa una botella de Chianti, que descorcha, y sirve el vino en unas copas grises, una para cada uno.

—Bueno, Dolores, entonces encontrémosle una solución. Hay un hombre que te ama, tú dices amarlo también, pero te trastorna que quiera vivir contigo en la misma casa. ¿Es irrazonable que me sienta desconcertado?

Bebo el vino.

—No es irrazonable que te sientas desconcertado. Pero si pudieras intentarlo, si pudieras escuchar un minuto mi perspectiva, entonces tampoco yo te parecería irrazonable.

—Yo no soy Henry Talmouth.

—Esto no se trata de Henry Talmouth, Austin.

—Tiene que tratarse de alguien.

—Sí, se trata de alguien. De mí. No de una alguna figura oscura que acecha en mi pasado, un pasado del que aún debo recuperarme. Se trata de mí, Austin.

Se está esforzando, sé que sí.

—Te escucho —me dice, mientras frota la copa con la punta de un dedo.

Encima de nuestras cabezas, las hojas de la glicina murmuran. A unas cuadras de distancia una sirena sube y luego baja su tono. Dos perros ladran en un diálogo y callan.

—Es así. —Cambio de lugar la botella de vino y me inclino hacia adelante, tomándome de los brazos. —Tengo una especie de sensor incorporado, como un barómetro de la felicidad… Y cuando sube, y al mismo tiempo pienso: "¡Qué suerte tengo!", algo entra en funcionamiento y empieza a advertirme que tenga cuidado, que no alimente esperanzas. En especial cuando las cosas parecen demasiado buenas para ser ciertas. Es como una voz que me reta a no hacerme ilusiones… Creo en ti, Austin. De veras.

—Tus ilusiones son ciertas. Están aquí mismo. No entiendo…

—¿Recuerdas que te hablé del doctor Chalmers? ¿De mis esperanzas frustradas? ¿Del prodigio literario que nunca fui? Desde entonces, nunca creí en nada, nunca me permití creer en nada con tanta fuerza, hasta que llegaste tú… Quiero librarme de esta sensación ilógica, pero no puedo evitar pensar que alguna especie de karma entrará en acción y que si soy demasiado feliz desapareceré, que seré…

Austin se levanta de la silla y viene a arrodillarse a mi

lado; me rodea la cintura con los brazos, apoya la cabeza contra mi pecho.

—No voy a frustrar tus esperanzas. Y para mí eres un prodigio literario. Y, Dolores, yo no creo en el karma.

Yo tampoco quiero creer en el karma.

Atraigo la cara de Austin hacia la mía, le tomo las mejillas con las manos.

—¿No crees que es como tentar al destino? ¿Tomar algo perfecto y querer mejorarlo?

—No será perfecto hasta que vivas conmigo. Y el destino es lo que uno hace de la vida. No hay otro que decida por ti.

—¿No te preocupa que esto, lo que tenemos, pueda cambiar? —le pregunto, apoyando mi frente contra la suya.

—Sólo mejorará... Las personas que se aman no suelen vivir separadas y tomar el desayuno cada uno en su cocina... Quiero despertarme contigo y cocinar contigo y bailar contigo y plantar árboles contigo y contemplarlos volverse altos mientras nosotros nos volvemos encorvados y torcidos. Te quiero conmigo, Dolores.

Miro los ojos oscuros de Austin, la ligera curva ascendente de sus cejas, su frente despejada, donde algún día, dentro de años y años, la expresión de inquietud que muestra ahora dejará huellas permanentes de la preocupación de este momento y de todos aquellos que vengan, de dicha y desesperanza y triunfo y contratiempos. Sé que quiero estar con él mientras cada uno de esos momentos se despliegue, que quiero que sean mis propias dichas y desesperanzas y triunfos y contratiempos también, y mi deseo se vuelve más fuerte que mi miedo a que alguna celestial mano gigantesca borre todo de un solo golpe.

—Está bien —le digo—. Está bien.

Apoya la cabeza en mi regazo, y le acaricio el pelo, descanso la mano en su nuca de modo que las yemas de mis dedos sienten su pulso y miden los latidos del corazón del hombre al que amo.

Cuando uno ha tomado una decisión inmensa, cuando el momento de la decisión queda atrás y sólo resta vivir con las consecuencias, uno deja de abalanzarse hacia el futuro, hacia aquello que está y uno no puede ver, y en cambio se concentra en el momento presente, en la sensación de placer —o dolor— de los segundos y los minutos en los que uno está vivo. Esto es lo que nos sucede a Austin y a mí en la noche de nuestro compromiso. Es como si estuviéramos tejiendo un tapiz que, en tiempos mejores o peores, nos vinculará, a nosotros y a los dibujos de nuestras vidas, nos unirá en un significado mayor que nosotros mismos.

Cenamos en cómodo silencio mientras el sol se pone tras las ventanas de la casa Leland. Adentro, rebano los tomates que Trevor Tuskes nos ha dejado en la puerta, y corto lechuga; afuera, Austin asa la trucha a la manteca. Cuando he puesto la mesa y preparado la ensalada y me he acomodado en lo que se convertirá en mi lugar de la mesa, él saca de la parrilla dos paquetes chamuscados, envueltos en papel de aluminio. Alzo las cejas cuando los coloca en el plato junto a la trucha.

—Papas. Estilo campamento. No las hay mejores. —Mueve en el aire el tenedor parrillero. —Tenemos que ir a las montañas antes de que empiecen las lluvias. A acampar de verdad. ¿Te agradaría?

—Claro. —Le sonrío, y le sirvo ensalada mientras él corta con destreza mi papa en cuatro.

¿Tengo cámara fotográfica?, me pregunta Austin mientras le paso mi plato y lo observo quitar las espinas a la trucha. Podríamos ir por Yosemite y hacer una excursión a pie y ver cómo cambian los colores en el paso Donner. ¿Me gustaría?, quiere saber.

Sí, me gustaría, así que planeamos hacerlo el fin de semana que viene, y luego cenamos despacio. Son casi las diez cuando hemos comido la última mora y juntado los platos para llevarlos a la cocina. Cuando estoy enjuagando la mancha púrpura del recipiente de las moras, Austin me abraza. Me apoyo contra él, contra su fuerza y su certidumbre y los límites seguros de sus brazos, y me susurra:

—Un último postre.

—No puedo comer más…

—No es comida. Espera aquí. Cierra los ojos.

Cierro los ojos y lo oigo salir. Huelo el débil perfume de las rosas del florero que adorna la repisa de la chimenea. Siento la caricia del otoño en la brisa que entra flotando por la ventana de la cocina, apenas el más leve indicio del cambio de estaciones en su frescura. Oigo el roce de las ramas de la planta de papa contra la puerta de alambre tejido. Mis manos recorren el borde de la pileta y la mesada de madera que la enmarca.

—Bueno, date vuelta y abre los ojos —dice Austin.

Ha comprado *delphiniums*, azules y blancos y lavanda.

—Tal vez prendan bien ahora —me dice, y rodea la mesa para envolverme los hombros con los brazos—. Entre las artes de jardinería de los dos, creo que lograremos hacerlas crecer, ¿no te parece?

—Aunque no pudiéramos, aunque viviéramos en una carpa en un desierto abandonado, elegiría esto —le digo.

Ahora la casa Leland es mi casa, pienso más tarde, mientras miro el cielo raso; Austin se ha quedado dormido a mi lado, con un brazo sobre mi vientre. Pienso que la he sabido mi casa de algún modo inarticulado desde que las flores me tentaron a regarlas. Austin podrá no creer en el destino o la providencia, pero qué otra cosa podría habernos traído aquí, a estas paredes, a esta casa, el uno al otro.

Basta con que estés aquí, me digo. No tiene sentido cuestionar por qué o cómo llegaste. Toma ese regalo que te han hecho y ama a este hombre.

Y, como para reforzar la orden que me he dado, un viento brutal sacude la casa, una de las ráfagas desagradables que producen los cambios de estación. La cortina golpea contra la mesa de noche y algo cae al piso. Escucho la respiración de Austin, pero sigue pareja, regular.

Como un ciego que busca una moneda en el suelo, palpo el piso con las manos. Levanto el portarretrato de madera que se ha caído y lo acerco a la ventana, para ver la fotografía a la luz del farol de la calle.

Es la foto original de Austin cuando era joven, la que había puesto abajo, en la biblioteca, la que ha hecho ampliar porque dice que le recuerda al padre. El vidrio se ha partido. Me prometo reponerlo para que Austin nunca se entere de que se ha roto. "Ya soy una esposa", pienso.

Otra ráfaga sopla contra la casa. Dejo el portarretrato boca abajo sobre la mesa de noche, me deslizo bajo las cobijas y me acurruco contra Austin una vez más.

Su forma es tibia y sólida.

Pero estoy temblando.

Capítulo Diez

He colocado sobre el escritorio mi cámara y cuatro rollos de película. Junto a la Leica, el examen de Jason Loman descansa encima de una pila de trabajos corregidos, el último ensayo de la clase de las diez y media que me queda por leer. Una vez que lo haya terminado, cargaré las cosas para el viaje al paso Tioga y llamaré a Dolores para recordarle que ponga el despertador; esta vez no perderemos tiempo, así podemos salir temprano. Unas nubes altas han pendido todo el día sobre las sierras; las posibilidades de lluvia para el fin de semana tornan los planes más complicados de lo que me gustaría. Dormir a la intemperie nos pareció una buena idea, pero si en el valle de Yosemite llueve, tal vez queramos guardar las bolsas de dormir y pasar la noche en Lee Vining, en una habitación de hotel.

Tomo el examen de Jason y me recuesto en el sillón; pongo los pies sobre el escritorio, con cuidado de no tirar la Leica. Tras dos semanas de clases ya puedo dar un nombre a la cara de la mayoría de mis alumnos, de modo que la trabajosa tarea de tomar lista es algo que ya hago con rapidez, sin tener que perder tiempo de la clase para leer la larga lista. Para mí, revisar sus primeros trabajos ha dado cuerpo a sus identidades, configurado sus voces y sus aptitudes. Elaine Towers, la adusta morocha que se sienta con rostro pétreo directamente frente a mi podio, escribe con una claridad decisiva que algunos de mis colegas harían bien en imitar. Everett Burrise, el individuo delgado que me pareció que dormía en los últimos veinte minutos de mi disertación del lunes, no sólo escuchó cada uno de los puntos que traté sino que se atrevió a ofrecer un análisis interesante e independiente: prueba de que lee —y piensa— mucho más allá de los requisitos mínimos del curso del primer año. Como recompensa para mí mismo por mi constante progreso a través del denso manojo de argumentos, he dejado adrede el trabajo de Jason para el final, porque es fascinante, inteligente sin resultar fastidioso. Demuestra que escribe bien, y además, según veo mientras doy un vistazo rápido a la primera página, va convirtiéndose con rapidez en mi estudiante estrella, mi Jorge, pienso. En el largo viaje hacia el paso, mañana, le contaré a Dolores acerca de Jason, y ella me contará de Jorge y los progresos que va logrando con las baladas de los chicos de segundo grado.

—Sabes cómo extraer lo mejor de esos chicos —le dije el otro día. Y agregué, porque no pude resistirlo y porque es cierto: —Y de mí. —Lo cual me mereció un beso y produjo una oleada de gratitud el hecho de que Dolores, muda o pomposa, solemne o frívola, sea mía, de que sus comentarios excéntricos pronto vayan a convertirse en una constante de mi vida cotidiana.

Reflexiono sobre su talento para traducir las abstractas

complejidades de la teoría del aprendizaje a los concretos ejercicios con lápices de colores que conduce en la clase del Centro de la Comunidad Hispánica. Es un irónico don de su profesión, me dijo, más que el legado de una vocación. Luego sugirió que leer Derecho, como poesía, debía ser también un ejercicio concreto, perspectiva intrigante que continúo rumiando cuando una rápida serie de golpecitos sacude el vidrio de la puerta de entrada.

—Dijiste el viernes a la tarde, temprano, ¿no? —dice Zoey cuando abro la puerta y la hago pasar.

—Sí... Estaba arriba, leyendo unos trabajos. Entra, déjame mostrarte la casa.

—Dolores tenía razón. Has hecho un milagro. —Entra en el vestíbulo y pasa la mano por el papel de las paredes. —Es perfecto... Confieso que nunca compartí la fe de Dolores en que la casa pudiera renovarse...

—Dolores me lo comentó... Pensabas que era más conveniente venderla por el terreno.

—Al verla ahora me alegro de haberme equivocado. —Zoey sonríe. —Esto no sucede muy a menudo... Alegrarme. O equivocarme...

—Mira el resto.

Zoey va hasta la ventanas curvas y aparta las cortinas de encaje.

—Las eligió Dolores —digo cuando ella hizo un comentario sobre la tela—. Quiero conservar la claridad de la casa.

Me sigue a la cocina y se para con las manos apoyadas sobre la mesada, mientras contempla el jardín.

Se vuelve hacia mí y habla despacio, como si estuviera pensando en otra cosa.

—Ya entiendo por qué una mujer ama lo que has hecho con esta casa.

—Una mujer que también ha hecho mucho aquí —digo, irritado sin saber por qué, salvo que de alguna extraña manera en este momento Zoey me recuerda a Clair Mariani.

Quedamos atrapados en un silencio incómodo. Para romperlo, le ofrezco una cerveza, una copa de vino, un vaso de café helado.

—Quería ver la casa, Austin. Pero sobre todo vine a verte a ti. Como la amiga más cercana a Dolores, su representante familiar, podrías decir.

Elijo vino y sirvo dos vasos de *zinfandel,* que pongo adrede sobre la mancha de la mesa de la cocina.

—Siéntate, Zoey —le digo—. ¿Has venido a inspeccionar al pretendiente? ¿A verificar que sus intenciones sean honorables?

La he incomodado.

—No. En realidad quiero hablar de Dolores... proteger sus intereses.

—Es mi plena intención proteger sus intereses. Quiero que viva aquí, conmigo, para siempre. No entiendo tu...

—Yo también quiero que viva acá. Lo que pasa es que... quiero que sea tan feliz como merece. Puede ser irreverente y áspera e imposible, pero en algunos aspectos es infantil, Austin. Emocionalmente, quiero decir. —Zoey juguetea con una cadena de oro que lleva al cuello, luego se tironea de un aro.

—¿Crees que no la conozco? ¿Que no sé quién es?

—No quise dar a entender eso. Sólo quiero que la valores. Es tan especial, es única...

Calla, desvía la mirada, se retuerce las manos en el regazo, y de pronto comprendo lo que trata de decirme.

—Esto no es como lo de Henry Talmouth, Zoey. No soy de esa manera.

Zoey suspira y me mira.

—Me alegro, Austin. Por los dos. Me alegro. Bueno, entonces ésta es una ocasión feliz. —Se pone de pie y deja la copa llena sobre la mesada.

Suena el teléfono, que nos alivia a ambos de la carga de añadir algo más.

—Me encanta la casa —dice Zoey mientras se dirige al salón.

El teléfono suena por segunda vez.

—Atiende. Yo saldré sola.

El teléfono suena por tercera vez. Atiendo y pongo la mano sobre el tubo.

—Zoey —la llamo—, no tienes razón para preocuparte por Dolores.

Vuelve al umbral de la cocina e indica el teléfono.

—Lo sé —dice, con los brazos levantados, como una bandera de capitulación, y se marcha.

—Disculpe, habla Austin Barclay —digo al teléfono cuando la puerta de la cocina se ha cerrado.

—¿Austin? El doctor Hindari.

Es como si la línea hubiera quedado muerta.

—¿Doctor Hindari?

—¿Austin? ¿Está ahí? —Las cadencias sobrias de su acento suben y bajan como campanillas.

—Sí.

—Tengo novedades de los análisis de sangre que hicimos de nuevo. Malas noticias, lamentablemente.

Lo primero que pienso es que debo de tener diabetes, la enfermedad que mató a mi abuela materna. O que debo de haberme contagiado hepatitis gracias a la imprudente decisión de beber agua del arroyo cuando hice una excursión al lago Shotgun a principios del verano, en mi primera semana fuera de Nueva York. En ese momento pensé que no iba a causarme daño si…

—…rehacer los análisis porque pensamos que se trataba de un error del laboratorio, pero ahora hemos eliminado esa posibilidad. Usted es HIV positivo, Austin.

Si una persona es de veras afortunada, si tiene suerte en la vida, jamás siente que la Tierra se deshace bajo sus pies como si el planeta tratara de arrojarlo al espacio, de lanzarlo a un agujero negro en cuya existencia esa persona nunca cree en realidad hasta que se encuentra allí, sin aire en los pulmones. Si una persona es de veras afortunada, jamás llega a sentir que se hunde en un océano negro tan profundo que el recuerdo del sol es borrado por su propia ausencia, y sus pulmones se llenan del agua oscura que torna la perspectiva de respirar en una posibilidad tan débil como que los rayos del sol atraviesen esas profundidades de ébano, sus tentáculos frágiles y acuosos como la cola de algún meteoro submarino, la prueba de cuya existencia es al mismo tiempo la afirmación de su extinción.

Si una persona es en verdad afortunada, jamás llega a sentir el golpe devastador que lo convierte en un cadáver frío.

La voz del doctor Hindari me hipnotiza. Es asombroso, me dice, dada la ausencia de conductas de alto riesgo en mi historia clínica… ¿Podría yo determinar dónde o cuándo contraje el virus? No importa si lo oigo o no, porque la letanía es ritual: un réquiem de AZT, grupos heterosexuales de apoyo, medidas preventivas, pautas sexuales. Cuando llega al final, cuando me ha ofrecido las palabras requeridas de consuelo y consejo, cuando he dejado el teléfono en su lugar y mis manos penden fláccidas a mis costados, sólo puedo pensar en escapar, en huir de lo que llevo dentro.

Y en lo que tal vez le he contagiado a Dolores.

Levanto el teléfono una vez más, el instrumento de la muerte, y disco el número del departamento de Dolores. Los timbrazos se repiten como disparos. No sé qué le diré, cómo puedo decirle lo que debo. La voz grabada me salva.

—Dolores Meredith. Deje su nombre y su número, y lo llamaré cuando vuelva.

Mis palabras son torpes, paralíticas.

—Habla Austin... Ha sucedido... algo inevitable... ineludible... Necesito irme por el fin de semana... Te llamaré.

El equipo apilado junto a la puerta de entrada pasa al Jeep, las luces de la casa Leland se apagan, la puerta es cerrada, la llave es colocada bajo el ladrillo flojo del borde de los canteros ovales. Alguien extraño a mí supervisa esta partida, el éxodo forzado de un hombre que abandona su alma, la abdicación de todo lo que da motivo y significado a mi vida.

Ese extraño me impulsa por la autopista 99. En las afueras de Strickton, regreso a mí mismo mediante las parpadeantes luces rojas de un patrullero blanco y negro, que avanza paralelo al Jeep como una sombra. Cuando registro su presencia, me doy cuenta de que no sé cuánto hace que el auto policial acompaña al Jeep por la oscura ruta rumbo al sur. El odómetro marca más de ciento treinta kilómetros.

Disminuyo la velocidad y poco después estaciono junto a la banquina de grava. Las ramas de unos árboles rozan la puerta. Son venenosos, me digo en un momento de esa extraviada claridad que ilumina la locura.

La voz del policía vocifera por un altavoz, detrás del Jeep.

—Baje del auto… despacio… Ponga las manos contra el capó. Las dos manos.

Es fácil obedecer estas órdenes, hacer lo que me dicen sin cuestionar. El policía se aproxima, el resplandor de sus faros potentes crea la sombra gigante y móvil de un hombre que me oscurece la cara antes de llegar a mi lado.

—Voy a palparlo —me dice, y siento sus manos por mis brazos, mis piernas—. Después me va a explicar por qué ha venido a más de ciento veinte en los últimos kilómetros.

Se acerca, inhala y me indica que puedo bajar los brazos y mostrarle mi registro de conductor.

Busco mi billetera, los papeles del Jeep. Redacta una multa y realiza una prueba superficial de ebriedad, que me ponga la mano en la nariz, que dé diez pasos con punta y taco.

—Así que sólo le gusta correr, ¿eh? —me dice cuando me da la multa.

Antes de irse me reprende y me habla de límites de velocidad y penalidades, y ya está regresando al patrullero cuando me quiebro, la cabeza floja, las manos aferradas a los hombros, grande sollozos que me sacuden.

El ruido de la grava me indica que ha regresado.

—No es más que una multa, por el amor de Dios —intenta bromear, y me toma del hombro—. Contrólese, hombre. Además, está empezando a llover.

Abre la puerta del Jeep, me empuja al asiento y me protege la cabeza con la mano, en ese gesto tan particular de los agentes al hacer un arresto.

—Vaya a su casa, hombre —me dice por la ventanilla, cerca de mi cara—. No sé cuáles serán sus problemas, pero ésta no es noche para andar afuera.

Llueve con fuerza cuando paro en Tuolumne Meadows y apago las luces del Jeep. Las gotas tamborilean contra el techo y el parabrisas, formando una cortina que oculta lo que hay afuera. Podría encontrar una cabaña en Mather, donde el guardián del portón me dijo que quizás hubiera vacantes. Podría salir del parque y buscar un hotel. Podría volver a casa.

No hago ninguna de estas elecciones miserables porque al fin y al cabo no cambian nada, no cambian el resultado de lo que con seguridad ha de significar tener esta enfermedad. En cambio, me quedo sentado en el Jeep, con la cabeza apoyada contra el vidrio frío, y recorro en mi mente un millar de "si…", un millar más de "por qué yo". A la mañana, cuando la lluvia ha cedido y una mortaja de niebla envuelve la pradera, he calculado que debo de haberme contagiado el virus de Julie Tyndel, el último y fracasado intento de Clair Mariani, durante aquel largo fin de semana de nieve que pasamos juntos hace casi dieciséis meses, cuando ella me dijo que estaba todo bien, que tomaba anticonceptivos, cuando lo único que tuvimos en común durante dos días fue el sexo, porque ella no quería salir bajo la nieve. Cuántas veces hacen falta para que una persona se contagie, me pregunto; cuántas relaciones de segunda categoría me costaron lo que he perdido, lo que aún habré de perder. Creo que ella no lo sabía, y cuando recuerdo su cara demacrada la noche de mi cena de despedida, me doy cuenta de que tal vez no lo sepa ahora, que seré yo quien deba decírselo.

Y decírselo a Dolores.

Que podría estar infectada.

Que podría no estar infectada.

Cuyo corazón voy a destrozar de un modo o de otro.

El motor del Jeep se enciende; doy la vuelta y me dirijo a la salida hacia el lago May en segunda velocidad, mientras los jirones de niebla disfrazan el terreno que debería resultarme conocido. Estaciono —el único auto en la playa estrecha— y bajo mi equipo de campamento. La noche de ayer, en Woodland, me parece a una eternidad de distancia de estas pegajosas horas del amanecer bajo los árboles goteantes; la mente que compuso la lista escrupulosa de elementos y los revisó sobre la mesa de roble de la cocina de la casa Leland, preparando este viaje, es una extraña para la mente que ahora ocupa mi cabeza. Lo único que quiere —esa tensa masa de músculos— es estallar, explotar, huir, subir sin parar jamás.

Subir es lo que hago. Cargo la mochila en los hombros y me encamino al lago. Puedo seguir el sendero más allá de la ensenada y alcanzar desde allí el campamento de Glen Aulin. En esta época del año, a esta altura, no encontraré a nadie más en el sendero. Durante cinco horas camino, a paso rápido. A pesar del aire fresco y las nubes pesadas y bajas que bloquean el sol, el sudor ha empapado mi camisa de franela y mi buzo y el abrigo que me he puesto encima. Mientras mis pies se muevan, uno tras el otro, puedo detener los golpes de mi cerebro. Decirle, perderla, perderla, decirle, insiste mi pulso si aminoro el ritmo de mis pasos.

El agotamiento me frustra antes de llegar al campamento de Glen Aulin. Encima de mi cabeza los truenos parten el cielo. Me arrodillo y me recuesto contra la mochila, demasiado cansado para quitarme las correas de los hombros. Esto es mejor, pienso, que el zumbido de pensamientos que me impulsó a subir a la montaña. El hielo silencia mejor que el fuego, aturde mejor que la fiebre. Me siento clavado a la tierra por el peso de la mochila. No sé cuánto tiempo permanezco sentado contra el saliente de granito, salvo que la luz baja contra el oeste deja que las siluetas de las rocas y los árboles me rodeen como los muros de una antigua fortaleza. Cuando estoy empapado, la voz de la razón me impele a pararme y cobijarme contra el tronco de un árbol, cuyas ramas forman una carpa natural. Me quito la ropa mojada y me pongo el equipo para lluvia y un plástico en la cabeza. Me siento contra el tronco del árbol y escucho el viento quejumbroso que juega con las ramas más altas.

A la mañana la tormenta ha pasado. Con los ojos cerrados y la cabeza ladeada contra la base del árbol de modo que mi pelo enredado se engancha en su corteza rugosa, sé lo que tengo que hacer. Debo bajar por este sendero, volver por la ruta a Woodland, y llevar a Dolores a la clínica del doctor Hindari para que le hagan análisis. Enfrentaré lo que siga —sea lo que fuere— pero lo enfrentaré cara a cara. No huiré a ninguna parte. Abro los ojos y sigo con la mirada las ramas frondosas tronco arriba, hasta el sitio en que la punta toca el cielo lavado. Un lugar dentro de mí, en lo profundo de un núcleo que todavía no es glacial, recuerda cuando mi padre me enseñaba acerca de estas coníferas resistentes y fieles, su paciencia estoica en las nieves serranas, incluso cuando los árboles jóvenes, tras permanecer seis meses enterrados en nieve y hielo, emergen de su tumba intactos, con su follaje que se eleva como un desafiante ornamento de primavera.

Lo enfrentaré cara a cara. Sé lo que debo hacer.

El traicionero camino colina abajo hace lento mi descenso, mis pasos cautelosos sobre las piedras, algunas de las cuales están resbalosas por la tormenta de anoche. Es la tarde del domingo cuando llego al Jeep, y siento en los huesos el frío de la dura noche, la camisa pegada a la espalda. Los gruñidos de mi estómago me recuerdan que no he comido desde el viernes a la noche. Las ignorantes células de mi cuerpo me dicen que necesito calor, comer bien, descansar.

Pongo la calefacción y manejo hasta Curry Village, donde la cafetería está abierta y caldeada. Cargo una bandeja con comida caliente: puré de papas, pollo frito, arvejas, pan blanco y manteca, leche entera.

—¿La excursión le abrió el apetito? —me pregunta la cajera canosa, al tiempo que suma el total.

Le contesto con un movimiento de cabeza y le entrego un billete.

—Ojalá pudiera comer así. En estos tiempos tengo que cuidar el colesterol. Son traicioneros, esos triglicéridos… —continúa como para sí, y me entrega el cambio.

No sé si reír o llorar del humor negro simbolizado por mi bandeja cargada de comida institucional. No logro decirle a la mujer que no preveo dolencias cardíacas en mi pronóstico médico.

El deber de comer me recuerda otros deberes, y una lista crece en mi conciencia. Debo llamar a Dolores y a Julie Tyndel y al doctor Hindari.

Primero a Dolores.

Deberé ser yo el más sereno, me digo mientras subo por Central Valley hacia Woodland, porque he tenido cuarenta y ocho horas para vivir con mi tóxico conocimiento. Lo cual significa, después de que me he duchado, escuchado dos veces los mensajes cada vez más enojados que me ha dejado Dolores durante el fin de semana, y fijado la vista durante una hora en mi escritorio, que no es justo llamarla casi a medianoche del domingo. Mi noticia necesita que se la dé a conocer a plena luz del día, no en lo profundo de la noche.

A la mañana, mientras me afeito, me estudio en el espejo: el tono de mis ojos, el color de mi piel. No se nota de sólo mirar, pienso, y reconozco que podrían pasar años antes de que el inicio de la enfermedad toque la textura esencial de mi vida laboral. Cuando guardo la afeitadora en el segundo estante del botiquín contra una caja casi vacía de profilácticos, me parece oír a Dolores sermoneándome con fingida dicción de señora mayor, desde mi cama sin hacer: "Todavía no soy la tía Emmabelle". Digo una plegaria de agradecimiento porque nunca, ni una sola vez, hayamos dejado de usar lo que creíamos, con certeza adulta, una protección contra la concepción. Puede que, al final, si Dolores tiene más suerte que yo, haya sido una defensa contra la muerte. Encuentro cierto consuelo en esto, y el consuelo me fortalece cuando me siento a mi escritorio, me disculpo mentalmente con Jason Loman —una culpa que no merezco— por su ensayo sin corregir, y disco el número de Dolores.

Atiende el contestador.

Cuelgo.

Disco de nuevo.

Atiende el contestador.

Esta vez, dejo un mensaje:

—Dolores, habla Austin. Necesito verte... por una razón seria. Trataré de comunicarme de nuevo desde la facultad. Si no te encuentro, estaré de vuelta en Woodland a la una e iré a la oficina.

Es cada vez más difícil postergarlo, pero doce horas más significan diferir medio día la renuncia a la esperanza de una vida con la mujer a quien he llegado a amar más que a todo lo demás, la mujer que tendrá todo el derecho del mundo a volverme la espalda y huir del mensajero que lleva el mensaje en su sangre.

Mi reloj indica las ocho menos cuarto, o sea que es casi el fin de la mañana en Nueva York. Abro mi agenda y encuentro el número de Bookman, el estudio jurídico para el que trabajaba Julie Tyndel cuando me fui de allá.

Después de que una voz cortante pronuncia con aspereza "Estudio Bookman", digo mi nombre y título y pido hablar con Julie.

—La señorita Tyndel tiene licencia médica. —La voz se ablanda. —Creo que podrá encontrarla en su departamento.

Me siento un intruso, pero busco el número de Julie y disco.

—¿Hola? —Una voz de mujer, mayor, del Medio Oeste, no la de Julie.

—Soy un conocido... un amigo... de Julie. Austin Barclay. Quería hablar con ella...

La voz áspera corta la mía.

—Ayer llevamos a Julie al hospital. Habla la madre. ¿Qué desea?

—¿Es posible hablar con ella? ¿Sabe cuánto tiempo estará internada?

—No es posible. Y no sé. —Un ruido bloquea la conexión; luego la voz regresa. —¿Usted no sabía que ella tiene neumonía?

La comunicación se corta de un golpe, como si la madre de Julie hubiera gastado su provisión de obligadas palabras amables.

Ya sé lo que necesito saber.

Una llamada menos.

CAPÍTULO ONCE

Él me hace sentir como solía hacerlo Henry.

Sólo que cien veces peor.

Mil veces más furiosa. Porque ahora me importa. Y porque nunca esperé esto de Austin: la excusa casual, la irresponsabilidad, la explicación posterior indefinidamente postergada. "Te veré a la una", deja dicho en mi contestador cuando estoy enredada en una reunión matinal con Arinda Mesa y el Comité Directivo de Voluntarios, y luego se va alegremente a su clase como si yo no hubiera estado loca durante dos días.

—Espero que no se deba a nada que dije yo —me murmura Zoey después de que entro como una tromba en la oficina a última hora de esta mañana, rezongando contra la infidelidad de los hombres.

Me detengo sobre mis pasos.

—¿Qué quieres decir?

Zoey no puede fingir, ni aunque lo necesitara para salvar su alma. Se ruboriza desde el cuello de la blusa blanca hasta la coronilla, un rubor confesional que me encoge el corazón.

—Zoey, ¿qué has hecho? —Me apoyo en su escritorio. Zoey se cubre la cara con las manos.

—¿Zoey?

—Voy a contártelo —me dice, destapándose la cara—. No es terrible como estás pensando.

—Cuéntamelo ya. —Me siento frente al escritorio de Zoey como una clienta disconforme.

—El viernes a la noche fui a ver la casa. ¿Recuerdas? Y dije unas cuantas cosas que tal vez... tal vez hayan...

—Zoey.

—Tal vez lo hayan enojado. Un poco. —Se tironea del aro.

—¡¿Cómo?!

—Le dije que tú eras especial, que debía valorarte... Soy tu mejor amiga, Dolores.

—Oh, Dios. —Me aparto del escritorio, con un movimiento tan súbito que Zoey se sobresalta. —Zoey, ya soy una mujer crecida. Puedo arreglármelas sola. No tienes por qué interferir en...

—No fue interferencia. Lo único que dije fue que yo te quería mucho y que esperaba que él también. Nada más.

—Oh, Dios. —Me pongo de pie y tiendo una mano hacia el *ficus,* comienzo a arrancar las hojas lustrosas una por una, y las tiro encima de mis pies y en el piso. —Debe de haber pensado que te pdí que fueras... ¡como una vendedora de seguros...! Oh, Dios.

Nos gusta pensar que, en determinado punto del tiempo, al cabo de tantos meses, tantos fines de semana, tantas noches, de veras conocemos a alguien. Cuando la hendidura de su mentón y las arrugas que le produce la risa en las comisuras de los ojos se han vuelto tan conocidas como la propia imagen en el espejo, nos gusta pensar que el conocer a esa persona nos protege de las sorpresas desagradables: un hombre que miente en su declaración de ingresos, un bebedor inconsolable, un descuidado que deja levantada la tapa del inodoro y pelos en el lavabo. Yo quería confiar en que lo conocía todo de Austin, cada reacción que pudiera mostrar a determinadas personas, a ideas precisas. Supongo que me esforzaba tanto por vencer mis reservas que había olvidado que él podría tener las suyas, que podría no apreciar una visita de una comedida bienintencionada pero invasora.

Pero no debería haberme dejado esperando. A pesar de todo. ¿Y cómo podría cualquier cosa que Zoey haya dicho o hecho cambiar quien soy, quien es él, y lo que hemos emprendido juntos?

Le digo a Zoey que tendrá que ocuparse de los clientes que vienen a las once y media, y arrojo un manojo de carpetas de casas sobre su escritorio.

—¿Adónde vas?

—Voy a Davis, a hablar con Austin. A aclarar todo esto

—Dolores, te pido disculpas. Yo no…

—Está bien, Zoey. —Le palmeo el brazo. —No estoy enojada contigo.

El Volvo avanza por la carretera hacia Davis. Planeo encontrar King Hall, la oficina de Austin, su aula si es necesario, y decirle lo que pienso: que dejarme esperando por una buena razón es una cosa, pero dejarme plantada sin saber nada durante tres días me recuerda demasiado a Henry Talmouth para que pueda llegar a contemplarlo con buen ánimo.

La playa de estacionamiento más cercana a la Facultad

de Derecho está repleta de estudiantes que buscan espacios para estacionar y otros más que intentan salir. Una mujer de cabello oscuro se acerca al Volvo y señala su auto, un Honda chico. Con las manos me indica que ocupe su espacio, así que espero a que retroceda y luego dejo el Volvo allí. El estacionamiento resuena de motores y puertas que se cierran. Cuando comienzo a alejarme del Volvo para abrirme paso entre la cadena de autos que salen hacia el cordón, a cuatro senderos de distancia una cabeza morena atrae mi mirada. Es Austin, que sube tras el volante de su Jeep. Le hago señas, lo llamo, pero sus ventanillas bloquean mi voz y no me ve. Para cuando he vuelto a subir al Volvo y espero mi turno en la parada de Arboretum, se ha ido.

Se ha ido a su casa. Tal como dijo. Que pasaría por la oficina a la una.

Estaciono ante la casa Leland; ni señal del Jeep. En el lustroso piso de roble, detrás de los vidrios, yace la mochila de Austin, una bolsa de dormir a medio enrollar, un estuche negro de cámara fotográfica. La puerta de entrada no está trabada, pero de todos modos me siento en los escalones del porche. Los canteros ovales situados a mis pies necesitan atención; están cubiertos de hojas caídas de los árboles cercanos, sucios por la lluvia del fin de semana. Me doy cuenta, con el curioso desapego que interviene en medio de la suma confusión, de que no hemos decidido qué bulbos de invierno plantaremos; Austin quiere una mezcla de *crocus* amarillos, amarilis blancos, jacintos azules; yo prefiero sólo una masa de jacintos.

Me ve cuando estaciona detrás de mi auto. Se queda sentado, la cabeza apoyada contra el volante, como si temiera la recriminación que sabe le espera, como si no la mereciera. Después, en cámara lenta, abre la puerta del auto y luego abre el portón de entrada, sube por el sendero de ladrillos, se para frente a mí.

Lo que noto cuando cruza el sendero de ladrillos sin saludar, lo que me hiela hasta los huesos con malas premoniciones cuando alza sus ojos a mí, es que su aire juvenil se ha desvanecido. La boca que se abre como para hablar no es la que cantó los temas de Bruce Springsteen cuando Austin me sostenía en sus brazos y bailó conmigo por los pisos sin terminar de la casa Leland. La persona que tengo frente a mí no es el Austin que me acostó en la bolsa de dormir, en el piso de arriba, y rehizo su vida amándome. El hombre abrumado que se afloja la corbata y se sienta a mi lado sin tocarme es un intruso, un extraño.

—¿De veras estabas tan lejos que no podías comunicarte conmigo? —digo cuando se ha sentado, con las manos juntas sobre las rodillas—. ¿Ni siquiera puedes pedirme disculpas? ¿Sabes lo que es quedarte sentado junto al teléfono esperando que suene, sin saber qué diablos sucede? —Las manos fuertes se tensan, los nudillos se ponen blancos. —Maldición, Austin, yo no me merezco esto. —Me paro y golpeo el escalón de madera con los pies. —¡Dime algo! ¡Lo menos que podrías hacer es hablar!

Como si un hada buena hubiera, con un solo movimiento de la mano, restaurado el orden en nuestro reino asediado, el extraño se convierte en mi Austin, su cara se deshace en pena, sus brazos me acercan a su pecho, su voz solloza en mi cabello.

—Lo lamento tanto, tanto, tanto… —dice, una y otra

y otra vez hasta que lo hago callar tapándole la boca con la palma de mi mano.

—Está bien… ya tendremos otro fin de semana. ¿Qué pasó? Cuéntame qué pasó. —Con unas palmaditas absurdas lo tranquilizo, le acaricio el pelo demasiado largo, le enjugo las lágrimas que le corren por las mejillas.

—Dolores —me dice, atrapando mis manos contra su pecho—. Te amo más que a todo el mundo… recuerda que te amo más que a todo el mundo. Pase lo que pasare con nosotros, te amaré.

En este momento, cuando el miedo me llega a la médula, mi sangre detenida conjura un maligno mandala de malos presagios: el ambiguo comentario de Austin, hace meses, entre pieza y pieza en el Palacio Bailable de Zeke, acerca de sentirse atraído hacia el oeste, hacia su hogar; su mano ensangrentada; el vidrio roto de la fotografía de la mesa de noche.

—Soy HIV positivo, Dolores.

Sin aliento, sin oxígeno, sin pulso.

—Debemos saber si te lo he contagiado.

Soy semiconsciente de la mano de Austin en mi muñeca, que me guía por el umbral de entrada, me sienta a la mesa de roble, donde hay una copa llena de vino tinto en medio de la mancha de la plancha. Apenas si soy consciente de su conversación por teléfono, los familiares tonos ascendentes y descendentes de su voz. Podría estar hablando con un colega o con un plomero; el tema podrían ser las leyes de California o las cañerías erráticas de la planta alta. Esta hora, este lugar y gracias, señor.

Pero no.

Está hablando de nuestro destino —mi destino— con el doctor Hindari.

Mis ojos caen sobre el piso de roble lustrado que yace bajos mis pies, donde, hace semanas, con las manos desnudas y un repasador, limpié la sangre envenenada del amante con quien he intercambiado cien intimidades, ninguna de las cuales me parece ahora más pasmosa que ese charco de su sangre, que limpié con estas manos temblorosas.

Manos que siempre están rasguñadas o raspadas o lastimadas.

Manos que incluso ahora, mientras se estremecen en mi regazo, tienen cortes en dos nudillos.

Había tanta sangre que el balde que llené de agua se puso color borgoña. Y yo... hundí las manos desnudas en esa agua, y enjuagué y retorcí el trapo ensangrentado hasta que el roble quedó otra vez reluciente, porque había oído decir que si la sangre penetra en la madera, ésta nunca vuelve a quedar limpia del todo.

Ya no puedo ver la sangre, pero sí mis dedos limpiando el rastro de gotas rubí, una por una, todo el camino de la puerta de entrada hasta la pileta de la cocina, donde sostuve la mano de Austin, y su sangre no cesaba de manar, y sangró contra mis palmas abiertas, mis manos desnudas...

—Debemos ir, Dolores —susurra Austin, arrodillado a mi lado.

Me paro. Él hace ademán de tomarme el codo.

—¡Por favor! —El reflejo me lleva las manos a mis propios hombros. El instinto lanza una sola palabra: —¡No!

—¿Dolores?

—Toda esa sangre... toda esa sangre... Me cubría las manos... mis manos se empaparon en ella... con tu sangre...

Podría haberle pegado, una reacción tan impropia de la Dolores que él cree amar que me redefiniría de manera tan irreversible como se ha redefinido él. Pero mis palabras —las borraría si mi cuerpo me lo permitiera, me las tragaría enteras— han cometido una crueldad que jamás podrían cometer mis manos.

Levanto la copa de la mancha chamuscada de la mesa y vuelco el vino en la pileta. Su compañera descansa en la mesada, y la vacío también, y enjuago la pileta con agua fría, disfraz barato del hecho de que no puedo salir de esta casa sin lavarme las manos. Dejo las copas en el escurridor y alzo la vista. Austin me mira con los ojos llenos de lágrimas.

Subimos al Jeep y vamos juntos —una procesión fúnebre de dos personas dentro del ataúd reluciente—, repitiendo el camino por la carretera.

Austin habla sólo una vez durante la pereginación implacable.

—Usamos profilácticos todas las veces —me dice, con las manos aferradas al volante—. Eso lo sé.

Le repite este mantra en voz baja al doctor Hindari, un vampiro severo de traje blanco que me extrae sangre. Observo cada paso del frío proceso sin parpadear: la aguja que se hunde en mi vena hinchada, la succión silenciosa del tubo colector, los números de la jeringa que van contando la cantidad de sangre más oscura que el vino que tiré por la pileta de la casa Leland. Cuando el apósito prístino sella mi brazo y las etiquetas con mi nombre garabateado certifican mi transición a novicia en la enfermedad o sobreviviente, el doctor Hindari habla.

—Pediremos al laboratorio que haga estos análisis lo antes posible. —Echa un vistazo al pesado reloj de oro que lleva en la muñeca. —Ahora son casi las cuatro… Deberíamos tener los resultados en veinticuatro horas… digamos mañana a las cinco. —Hace una pausa, mira a Austin, luego a mí. —¿Pueden darme un número al cual llamar…?

—El mío —decimos juntos Austin y yo, y nuestras sílabas unidas dejan un eco en el pequeño laboratorio.

Le doy al doctor Hindari el número de mi departamento, y vamos hacia el Jeep en solemne procesión. Una vez que el motor se enciende y Austin se aleja de la clínica de estuco —odio su aire antiséptico, sus ventanas disfrazadas con persianas—, nos vemos aliviados de cualquier obligación para con la etiqueta. Tiendo una mano hacia la radio y la enciendo. Resuena la estática, luego un saxo asalta los parlantes y llena el auto con una elegía oscurecida.

En la tragedia tiene lugar una transición entre el *shock* y la conciencia, una suerte de puente por el que uno cruza del gran drama a la floja reanudación de lo mundano. La madre que ha perdido a su único hijo en un accidente se descubre preparando una taza de té para el agente que ha ido a darle la noticia. El soldado a punto de morir en el campo de batalla pensará cargar su cantimplora antes de iniciar la retirada por encima de los cuerpos caídos de sus camaradas. Y tras recibir la información oficial de que es probable que uno se haya contagiado el virus de inmunodeficiencia adquirida, el ser humano vital se sentirá llamado a cumplir con las ceremonias necesarias de la vida cotidiana.

—¿Almorzaste? —le pregunto a Austin, las primeras palabras que le dirijo desde nuestra partida de Woodland.

Me responde que no con un movimiento de la cabeza.

—¿Tienes hambre? —pregunto.

—¿Y tú?

—Podría comer algo… —Le observo la cara. —Podríamos comer… ¿no?

Austin asiente. Con total claridad leo la gratitud que reflejan sus ojos: por mi pregunta, por el uso del "nosotros", por un manantial de nobleza que me asigna y en el que necesita apoyarse. ¿Cómo puede confiar en mi bondad en este momento, cuando mis palmas me queman en la falda por la compulsión de lavarlas? ¿Cuándo me gané esa fe absoluta suya? ¿Por qué ahora llevo la carga de refutar su creencia de que puedo soportar esto?

Toma una salida señalada por el ubicuo Denny's, donde sirven de comer durante las veinticuatro horas. Adentro, sale precipitada de la boca de Austin la *nouvelle,* no, el cuento, pues es demasiado corto para tener capítulos. Entre el agua fría y los menús, entre la canasta de plástico de panes blancos y la crujiente ensalada —un tomate en rodajas, un rábano cortado en cada plato— se despliega la narración: los copos de nieve contra la ventana, los troncos ardiendo alegres en la pequeña estufa de leña, la ascendente abogada de Berkeley (¡no se le ocurrió llevar botas!) y la comodidad heterosexual salvadora de toda mujer: la villana píldora anticonceptiva.

Cuando Austin llega a la conclusión y los pseudo-espaguetis humean ante nuestras caras, veo que la historia tiene un clímax aún no escrito. Mañana, a las cinco, en mi pequeño departamento, cuando los suaves ojos de Milton parpadeen al oír el teléfono, una mano tomará el tubo y la historia llegará a su punto culminante. Salvo que hemos saltado el clímax y ya esbozamos el desenlace, la caída de la acción, mientras pinchamos los hinchados hilos de pasta y evitamos mirarnos a los ojos. Porque siempre ocurre algo después de la última página de la historia escrita, ¿verdad? Porque la oración del "felices para siempre" no puede abarcar los escarceos, las consecuencias de lo que tuvo lugar hace mucho, mucho tiempo, en las páginas dos y siete y treinta y ocho, tan atrás que el lector bien podría haberlos olvidado.

—Quiero estar contigo cuando él llame —me dice Austin mientras la camarera nos deja un breve momento de intimidad.

—Tú estabas solo.

—No fue una buena manera de enterarme de semejante noticia.

—Tendría que cambiar el taller de poesía a los martes. El centro necesita el aula para otras cosas.

—Tendrás que cancelar.

—Lo haré. —Rasgo un sobre de azúcar y los gránulos blancos se derraman sobre el mantel; luego formo con ellos una pequeña pirámide. Con una perversidad nacida del pánico, digo: —No me lo perdería por nada del mundo. Será la llamada telefónica de mi vida.

Austin se cubre la cara con las manos. En la parte interna de la base del pulgar veo el extremo de la cicatriz, una marca púrpura. Yo envolví esa mano con la mía, y con valentía, con estupidez, restañé la sangre que fluía en la cocina iluminada por el sol de la casa Leland. Aunque fue un acto de amor como cualquiera de los otros que hemos tenido, su recuerdo me embarga de horror. Algo muy hondo dentro de mí, algo más amable y menos egoísta que los nervios cauterizados que me mueven ahora, me dice que debo tender la mano y acariciarle la mejilla. Pero no consigo levantar el brazo.

—¿Todo bien por acá? ¿Más café? —La camarera regresa. —¿Quieren postre?

Austin se levanta y se retira, desaparece tras una esquina del vestíbulo.

—¿Le pasa algo? —indaga la camarera—. ¿Todo bien?

Le pongo dinero en la mano, me levanto de la silla y paso junto a ella. Le miro la cara pintada y hago una sonrisa que más bien es una mueca. Miento:

—Se pondrá bien.

Los ojos de Austin están cerrados mientras yo manejo el Jeep hasta Woodland, estaciono detrás de la casa, frente al pequeño galpón que él ha convertido en taller de carpintería. Caminamos lado a lado, sobre las hojas secas. Cuando llego a la puerta del Volvo, él rompe el largo silencio.

—Entra, Dolores. Por favor. —Logra esbozar una sonrisa torcida. —Somos los mismos que hace una semana… Por favor.

Bajo la vista a mis pies. Luego alzo la vista hacia Austin.

—No puedo.

—¿Dolores?

—¡Austin! ¡Nada es lo mismo! Y yo… tengo tanto miedo…

Le miro las manos. Deseo que no se me acerquen. Quedan fláccidas a sus costados.

—¿De mí… Dolores?

No lo miro a la cara. No puedo. Podría ver lo que no podría tolerar. El reflejo del interés por sí mismo, la confirmación de un egoísmo atávico, un humano convertido en animal.

Y Austin vería... Austin vería que soy menos de lo que creyó, algo que no merece. No somos las mismas personas; hemos cambiado mucho más allá de lo calculable. Porque cuando la naturaleza o Dios o el destino nos prescriben la cesación de la alegría, quedamos alterados para siempre. Me he convertido en una mujer que él nunca ha conocido, cada una de cuyas células grita: ¡Huye! ¡Sálvate! Una mujer tomada por el miedo, por estas pesadumbres que se multiplican, que mutan con cada palabra que hablamos. Un egoísmo negro imposible de sofocar me aparta de este hombre, mi amante, que me suplica lo que no puedo darle... ¡ahora no, hoy no! Mientras me doy vuelta siento que una fealdad crece en mi corazón, los carbones oscuros de la vergüenza... lo que Austin confundió con diamantes.

Sacudo la cabeza y me ahogo con las palabras.

—Necesito... ir a casa. Por favor. —Me siento al volante y cierro la puerta, y el ruido sólido de la bisagra es como una puerta de hierro que se cierra segura tras de mí.

—Mañana, a las cuatro —le digo, y subo el vidrio de la ventanilla.

A la noche me niego a consolar o ser consolada, cuando a una hora tardía recuerdo dar de comer a Milton en mi departamento frío, cuando me meto bajo las cobijas arrugadas de la cama, sin lavarme los dientes, cuando caigo en un sueño inquieto. En los minutos previos al amanecer me paro bajo una ducha tan caliente que me hace creer que esteriliza mi piel escaldada, y me revuelco en mi propio miedo. Me estudio las manos: las yemas arrugadas por el agua caliente, las líneas de las palmas, los nudillos torpes, las uñas cuarteadas. Una y otra vez me veo limpiando el rastro de sangre que me llevó de la pasión al sitio donde me encuentro ahora, hundida en una agonía egocéntrica, estremecida, caída en el piso de la bañera hasta que el agua se enfría.

De algún modo, vivo —¡qué palabra cargada!— hasta el martes. Llamo a Zoey y dejo la oficina en sus manos. Durante la mayor parte de las horas que siguen mis manos buscan consuelo en el pelaje de Milton y la vibración de su ronroneo. Estoy sentada en el sofá envuelta en la manta de Dodie Murphy, con Milton en las rodillas, cuando Austin golpea la puerta, cerca de las cuatro.

—¿Fuiste a tu clase? —le pregunto cuando al fin se sienta en el sitio que he dejado vacío en el sofá.

—Sí. No sabía qué otra cosa hacer. No puedo estar quieto… No quiero pensar… ¿Y tú?

—¿Yo? Yo no puedo dejar de pensar… Mi mente corre en círculos… —Hago un intento nervioso por enderezar las revistas de la mesita baja y sacar los tres vasos vacíos que hay encima. —¿Quieres una cerveza?

Me responde el teléfono, cuatro prolongados chillidos de sirena, antes de que logre reunir el coraje de atender.

—¿Hola?

—¿Habla Dolores Meredith? —La voz del doctor Hindari.

—Sí. ¿Tiene el…?

—Negativo. Desde luego que…

Negativo. El virus no aparece en mi sangre. Los profilácticos. El azar. La suerte. El destino. Bendiciones retroactivas.

Siento a Austin a mi espalda. La voz densa y melodiosa del doctor Hindari fluye del tubo del teléfono.

Meneo la cabeza, indicando que no. Como una bala

me alcanza la comprensión, desviada por la oleada de auto-preservación, pero al final encuentra el núcleo de pena que ha quedado amortajado por mi miedo: Austin tiene HIV. Austin va a morir de sida. Voy a perder lo que más amo… y no puedo hacer nada.

Los ojos de Austin se humedecen.

Tantas lágrimas por tantos motivos: miedo, ira, dolor, gratitud… amor. De amor son sus lágrimas. Porque yo no moriré, aunque él…

Cuando todo lo que uno ama es a la vez la fuente de la mayor angustia del corazón, cuando no prevé que la práctica del amor en el momento sólo tornará más dolorosa la ausencia del amor en el futuro, uno se enfrenta a esta elección: un solo sufrimiento, un solo momento de reso-lución, una amputación decisiva. O días y meses y años de pequeñas pérdidas, cuando el futuro va menguando de manera imperceptible y la pena va llevando en pequeñas dosis a la angustia abrumadora.

Debo elegir.

Me permitiré este último abrazo, prometo mientras nuestros brazos se rodean. En un último abrazo, pecho contra pecho, corazón contra corazón, aferramos nuestras mitades faltantes, nuestros yoes perfectos, y mantenemos a raya a la enfermedad. Por un último minuto, sólo nuestro aliento y nuestros cuerpos y nuestro amor existen.

Esto me lo permitiré.

Después elegiré.

CAPÍTULO DOCE

A veces, si me detengo en la preparación de la disertación de la mañana siguiente o me quedo sentado demasiado
tiempo en una habitación de mi casa, una ira desbordante
se apodera de mí, una oleada de una sensación hirviente
tan pura que sé que, si tocara con mi palma los soportes de
hierro al rojo de la chimenea, los encendería en llamas
azules.

A veces, si olvido seguir moviéndome, un pie delante
del otro en una absurda e interminable prueba de sobrie-
dad, me hiela hasta los huesos una desesperación tan cruel
que sé que, si rozara una mano o un brazo contra el otro,
se me desprendería del cuerpo y caería al suelo como un
carámbano caído de la rama de un cedro invernal.

Siempre, cuando mis pensamientos alcanzan a Dolores, caigo en una fiebre de ansias, sólo enfriada cuando el
sueño embota la conciencia y el deseo es satisfecho por
el sueño.

El doctor Hindari me ha dicho que me encuentro en
excelente estado, que con la administración de AZT y

siguiendo hábitos de buena salud pueden pasar años antes de que el HIV se convierta en sida. Y me dije, tras señalarle su increíble y sesgada definición de "excelente", que no estoy seguro de desear muchos años.

¿Qué es el tiempo, pienso, sino el equilibrio entre amor y dolor? Si el dolor supera al amor, ¿de qué vale el tiempo, dónde reside su poder de seducción?

Ella demora más de una semana en tomar coraje para llamarme.

Es una deprimente mañana de domingo; las nubes sucias, detrás de las ramas esqueléticas de los olmos, apenas se levantan lo suficiente para alimentar la esperanza del sol, luego vuelven a cerrarse, dolorosa decepción. Rastrillo las hojas mojadas del jardín delantero; la tierra despejada me complace, así que me quedo de pie con el rastrillo en la mano y saboreo el único placer que he sentido en semanas.

—Hasta en invierno es hermoso —me dice su voz a mis espaldas.

—Me sorprendiste… ¿Has venido caminando?

—Sí. Sentía ganas de salir con este… con este tiempo. —Empuja el portón. Observo que el aire húmedo ha domado los rulos vivaces contra su nuca.

—¿Quieres pasar? Hay café hecho. —Dejo el rastrillo contra la baranda del porche.

—Sí, un café vendría bien. —Dolores me sigue hasta la cocina, nuestros movimientos estilizados en una danza formal.

De espaldas a ella, saco dos tazas del armario y sirvo café. Tomado por una superstición demente, voy sirviendo un poco en cada una hasta que ambas tienen la misma exacta cantidad de líquido.

—¿Austin?

Me vuelvo.

—No te culpo.

Pongo el café frente a ella. Dolores rodea la taza con las manos.

—Esto es algo que está más allá de la culpa o la responsabilidad de nadie. Lo sé, y no te culpo, en ningún nivel. —Bebe un sorbo de café y me estudia la cara. —Así que quiero que entiendas que lo que voy a decirte no es por rabia ni…

—No tienes nada que explicar —la interrumpo.

—Sí, tengo que explicar. Sí.

—Sé lo que vas a decir, Dolores. Créeme que lo sé. Lo sé. Podría decirlo yo mismo, si estuviera en tu lugar. —Durante la semana pasada, con la imagen de Dolores rehuyéndome grabada en mi memoria, me pregunté cien veces si esto es cierto, si un hombre enfermo puede entender el rechazo mortal de piel y piel.

—Tratas de hacérmelo más fácil —me dice Dolores, como leyéndome los pensamientos. Los ojos se le llenan de lágrimas. —¿Entiendes que al hacérmelo más fácil me lo haces más difícil?

Se pone de pie con torpeza, golpea sin querer la mesa, de modo que el café se derrama sobre la superficie. Ninguno de los dos se mueve. Quiero ahorrarnos a los dos esta lamentable declaración destinada a acabar con cualquier futuro que yo pudiera concebir, pero escucho las palabras de Dolores, las confesión que ha preparado a manera de despedida.

—Ojalá pudiera… quedarme contigo durante esto… Ojalá pudiera seguir… seguirte… a través de la…

—Dolores, Dolores —le digo, y me paro para envolverle con mis brazos los hombros temblorosos, pero sabiendo que la época de tocarse —postergada durante un impávido minuto en la cocina de Dolores, hace doce días— ha pasado.

—¡Ojalá fuera más fuerte! Fue todo lo que pude hacer... Venir hoy acá... ¡Me voy, Austin! No tengo el coraje... Nunca he tenido coraje para vivir con... con el deseo de lo que no puedo tener... ir perdiendo algo... cada día, cada hora... ¿No entiendes?

—No te lo pediría.

—No puedo verlo suceder, Austin. Me enloquece pensar... No puedo.

—Te comprendo.

—¡Por favor, basta! ¡Di lo que estás pensando! ¡O maldíceme! —Levanta los puños a mis mejillas. —¡Ódiame por ser tan egoísta! ¡Sé lo que soy! Pero por favor, por favor, no seas tan noble. No podría soportarlo, no puedo... —Se acerca más y levanta una mano, de modo que puedo sentir su tibieza que roza mi mejilla, mi semblante de estatua.

No logra expresarlo. Entonces yo lo digo por ella, mis palabras son el fósforo encendido que reduce a cenizas la esperanza sin raíces, esperanza que sobrevivió insospechada hasta este segundo.

—¿Contemplar cómo me extingo en lo mejor de la vida? ¿Cómo decaigo? ¿Cómo muero? ¿Cómo muero de sida? ¿Es eso lo que no puedes soportar, Dolores? Porque eso es lo que va a ocurrir, estés aquí observando o no.

Contenido su llanto por mi declaración feroz —tal vez le he dado lo que necesita, un antídoto a la compasión obligada por el amor—, Dolores se dirige a la entrada. Cuando abre la puerta y una ráfaga de aire frío entra en la casa, me dice, con voz tan débil que acaso yo la esté imaginando:

—¿No entiendes? Podría hacerlo si no te amara... Podría hacerlo si no te amara tanto.

La puerta se cierra tras ella. Y yo me sumerjo en el resto de mi vida.

Elijo tratarme con el doctor Hindari y no en la clínica de Sacramento. Cuando llegue el momento —me dice, con las manos apoyadas en el vientre prominente, como si fuéramos dos viejos amigos que comparten una copa de coñac en su sala de estar— por supuesto necesitaré la experiencia de los especialistas. Pero hasta entonces, mientras él controle el CD4 y la cantidad de células T y yo tome regularmente los medicamentos, coincide en que la clínica es innecesaria. ¿Y cómo anda el resto de mi existencia?, me pregunta.

—¿El trabajo?

—El trabajo, sí.

—Ni siquiera alzaron una ceja. Tengo la suerte de que mi empleador sea un hombre liberal, creo. Le conté a mi decano antes de que lo hicieran los del seguro de salud, y no se mostró escandalizado. —Hago una pausa y tomo aliento. —Seguirá siendo asunto mío hasta que yo decida lo contrario.

—Estoy de acuerdo. —Las gruesas lentes de sus anteojos reflejan las luces fluorescentes del cielo raso. —¿Y su novia, la señorita Meredith?

Una imagen me amenaza —sólo la disciplina de la desesperación la ha quitado de la conciencia—, una imagen que se vuelve de pronto coherente: Dolores, sus rulos humedecidos por la niebla, el amor de mi vida confesando su miedo.

Sacudo la cabeza.

—¿Leyó los folletos que le di la semana pasada? —Para ser médico, su expresividad es bastante reducida en lo concerniente al sexo, aunque en la mentalidad popular esta enfermedad mía apesta a sexo: manoteos ilícitos en habitaciones de hotel, promiscuidades prodigiosas bajo luces de neón, apareamientos de demonios de ojos enrojecidos, inducidos por las drogas. Hace un gesto en dirección a los anaqueles de atrás de su escritorio, luego inclina la cabeza como un maestro paciente.

—La vida continúa, Austin —me dice, como un generoso Buda—. Amar es una parte de eso. Cuando ella despeje la ventana, usted verá.

Hablamos en código, a la manera de las pruebas de Dolores. El doctor Hindari y yo. "Sin novedades", dirá apenas para anunciar cada resultado negativo sin violar literalmente el secreto profesional que se le exige. Durante cinco meses más, por lo menos, aquí, en su clínica, nuestras vidas se entrecruzarán mientras trocamos sangre por tiempo. Un conocimiento demasiado profundo para expresarlo en palabras me asegura la salud de Dolores, del mismo modo como una misteriosa condición celular permitió los resultados HIV positivos que dio mi propia sangre. Entonces, mi corazón reconoció como genuina la conclusión fatal de mis propios análisis; ahora, ese corazón adiestrado hablaría si Dolores se viera amenazada. Mi pulso se aceleraría, mis nervios se ampollarían... Pero ella está a salvo, todavía.

Pasan las semanas. Se acerca el final del semestre. Dejan de caer las hojas; los jardines de la casa Leland están limpios. Para el día de Acción de Gracias voy a los lagos Eagle, luego paso la noche en Truckee. Un lunes a la mañana de principios de diciembre recibo una llamada de Jack Mariani. Va a pasar el fin de semana en San Francisco; ¿podríamos encontrarnos para cenar? Para mí será un tónico, le digo, vernos y conversar.

El sábado a la noche nos encontramos en el vestíbulo del Fairmont. Jack ha adelgazado, pero da la impresión de moverse con lentitud, como si los kilos perdidos lo hubieran vuelto más pesado, o como si los engranajes de la edad lo llevaran a una demacración que acabará en vapor, en una voluta delgada de niebla que se desvanece. Leo mi propia mortalidad prematura en los cambios sufridos por mi buen amigo, me digo con sorna mientras su sólido apretón de manos me atrae hacia él para darme un abrazo de bienvenida, y resuelvo jugar el papel del Austin Barclay que Jack conoció antes de que me fuera de Nueva York.

Cuando el mozo nos ha asignado una mesa y una suave sinfonía da fondo a nuestra conversación, le pregunto por Clair.

Jack juguetea con el cuchillo.

—Estos últimos tiempos estamos viviendo separados. Desde octubre.

—Lamento saberlo, Jack. —Mis palabras son una disculpa murmurada con rapidez para señalar que es mejor dejar el tema de lado, ya que cualquier otra reacción daría a entender una buena disposición a escuchar. Sin embargo, cuando Jack procede a relatarme la separación, siento una sincera pena que nunca podría haber previsto.

—Clair y yo siempre hemos tenido una relación que podría calificarse de difícil —me confiesa con pesar—. Al principio del matrimonio, ella tenía los hijos y yo tenía el trabajo. Y cuando disponíamos de algún tiempo juntos, supongo que yo mantenía la boca cerrada y miraba para otro lado. El camino del cobarde.

Jack calla un momento mientras el mozo de camisa blanca se acerca a nuestra mesa, sirve vino en las copas y sus manos morenas hacen los gestos practicados de la solicitud.

—Ahora puedo ver que yo actuaba de ese modo porque era más fácil que hacer saltar todo por los aires. Yo siempre tenía algún caso en los tribunales, o uno de los chicos interpretaba un personaje de Hamlet o un recital de piano, así que era más fácil... lo creas o no... olvidar las discordias en nombre de un cliente o un hijo.

Se lleva la copa a los labios, luego olvida beber y la deja en la mesa.

—Empecé a ansiar la jubilación... lo que podría significar para Clair y para mí, todo ese tiempo sin ocupaciones...

El mozo regresa y muestra la etiqueta de Sauvignon a Jack, que asiente y le indica con un gesto que puede servirnos.

—Permíteme darte un consejo, Austin. Cuando llegues a mi edad, nunca te permitas mirar atrás y decir: "Oh, Dios, cómo he desperdiciado mi aptitud para amar a una mujer". No permitas que eso te suceda, hijo.

Me muevo en el asiento.

—Tuviste razón al irte de Nueva York, al hacer espacio en tu vida para algo más que el Derecho.

Llega la ensalada, platos artísticamente decorados con

lechuga y alcauciles y pimienta negra. Mis manos despliegan una servilleta y la colocan sobre mis muslos tensos.

—Bueno, dejemos este tema —dice riendo—. Tú sabes lo que haces. —Come un bocado de ensalada. —Escucha el maldito régimen que estoy haciendo…

Nuestra conversación gira en torno del estudio jurídico, los abogados de Nueva York que conocemos ambos, el campeón actual del club de racquetball. Después del monólogo cómico de Jack sobre si debemos o no comer postre, cuando el comedor está vacío salvo un grupo de adolescentes que cenan tras el esplendor de su noche de egresados, nos ponemos de pie y nos estrechamos las manos, sellando un juramento de que él regresará a California el verano próximo, cuando yo lo llevaré a hacer lo que él llama una excursión geriátrica por las sierras.

Mientras cruzo la bahía oscura con el cielo de la ciudad a mis espaldas, me pregunto si sé lo que hago: la declaración que me hizo Jack, sin darse cuenta de su estremecedora resonancia. Sólo podemos saber lo que queremos, decido. ¿Y el saber que no puede ser, que lo hecho hecho está, se traduce en arrepentimiento?

El arrepentimiento me da náuseas, el empalagoso callejón sin salida autorreferencial que dictamina la abolición del placer. Vivo sumido en el arrepentimiento desde mi lunático ascenso a los muros de Yosemite. Fue el arrepentimiento, envuelto en la piel de lobo de la ira, lo que me hizo decir aquellas palabras crueles a Dolores, recuerdo vergonzoso en el que no me permito demorarme. Es hora de seguir adelante. Mis pensamientos se elevan a la belleza lunar del paso Donner. A la cara ansiosa de Jason Loman enmarcada por la puerta de mi oficina. A los capullos de los árboles de la calle Tryon. A mi amistad con Jack y con el doctor Hindari, el hombre sagrado del dudoso santuario de la Corporación Médica de Davis.

A llegar a darme cuenta, avanzando despacio, pero allí al fin, de que no moriré con el arrepentimiento de Jack, de que mi corazón sabe lo que significa amar a la mujer que lo vuelve entero con todo su poder, por breve que sea.

Durante la semana siguiente, hasta el feriado de Navidad, me atareo con los exámenes finales, generados por computadora, y las extensas respuestas a mis preguntas, con tanto cuidado expresadas.

El día se ha vuelto noche para cuando termino de ingresar las notas; la pantalla de la computadora ilumina mi oficina oscura con la única luz a la que trabajo. Por momentos pienso en la mención a la jubilación que hizo Jack, que me hizo darme cuenta de que no necesitaré hacer esos planes. Elegiré retirarme antes de dejar un legado de ineptitud a mi paso. Decido, con sana resolución tan determinada que alza un velo de temor, que elegiré retirarme de la vida del mismo modo: antes de la incapacidad inevitable que me condenaría al lecho, vacío de toda sensación salvo la percepción del dolor. Por primera vez en mi vida puedo contemplar la muerte de mi padre con valoración no egoísta. En lugar de lamentarme por el tiempo que tan pronto se me quita, comprendo de qué fue salvado mi padre: los placeres truncados, las dichas circunscriptas, las alegrías amputadas que son la prescripción de la enfermedad terminal.

Debería contarle al doctor Hindari, se me ocurre, sobre esta iluminación salvadora, pero él me recordaría mis obligaciones para con el presente y censuraría mis preocupaciones por el futuro. "Viva, Austin, viva", canturrearía, y me diría, como hizo la semana pasada: "Uno no está enfermo hasta que se enferma". Me gustaría describirle a Dolores esta paz recién nacida, pero también ella me ha censurado… me ha censurado el habla, el contacto, la compensación del amor. La pantalla en blanco me llama, silenciosa conspiradora de la expresión. "Cuéntame", se ofrece. Tecleo tres líneas, y las teclas contra mis dedos son como el cordón umbilical hacia mi alma, y un poema crece. Dos horas más tarde, en la tranquilidad absoluta y abandonada de King Hall, levanto la hoja de la impresora láser de Annie y la doblo a lo largo. Escribir estas líneas es suficiente, la catarsis está completa. Pliego el papel una vez más, un cuadrado de serenidad, y me lo guardo en un bolsillo del traje.

Son casi las diez cuando llego a las afueras de Woodland. Al borde del pueblo, casi debajo del paso de la autopista, el cartel de neón del café Xochimilco me recuerda que no he comido desde la mañana. Alguien —¿Rick Day?— me juró que no existía en todo el valle mejor comida mexicana que la de este sitio, así que, a pesar de la fachada desagradable, paro el Jeep en el estacionamiento cubierto de desechos y lo cierro. Si puede decirse de Woodland que tiene una parte fea, es ésta. Con el fondo del ruido de los autos y los sonidos vivaces de los mariachis que se elevan en el aire húmedo y oscuro, siento que atravieso un territorio crepuscular, donde las borrosas distinciones entre lo debido y lo indebido invitan a la transgresión.

Como si mi chaqueta fuera una vergüenza para el lugar, una camarera de rasgos indígenas me lleva rápido por el local largo y estrecho. Me ubica en el fondo, ante una mesa de fórmica roja apenas lo bastante grande para contener el recipiente de salsa picante y la canastita de totopos que saca sin decir palabra de su bandeja junto con el menú laminado. La música pasa del español al inglés y otra vez al español.

Las tortillas son caseras, el arroz huele a comino y cilantro fresco. La menuda camarera me sirve sin hablar, luego deja mi mesa para atender a una pareja que la sigue por el local y se sienta a una mesa. Después la camarera regresa con un plato de picadillo y porotos, y señala mi cerveza.

—Sí, gracias —le digo, y la observo abrirse paso hasta la barra llena de gente.

En uno de esos momentos de hechizo en que el sonido vociferante desciende de pronto a cero, cuando una habitación llena de murmullos y tintineos y melodías se acalla, alguien pronuncia una única palabra, usurpando la atención de todos:

—Henry.

Luego el sonido continúa: un bebedor deja con fuerza su vaso sobre la barra; pasan una música en español muy rápido para poder traducirla; a alguien se le cae una olla y maldice, un lunfardo bilingüe de juramentos.

Reconozco la voz de ella.

Reconozco el halo de su cabello, el movimiento rápido de sus manos.

Y aunque nunca he visto a Henry Talmouth en persona, reconozco también su figura en sombras, por la descripción que me hizo Dolores del hombre al que había elegido, ese hombre que, aunque errado en todo, jamás podría decepcionarla, jamás podría causarle el caos de desesperación por el camino del deseo.

Henry Talmouth.

Desde mi asiento en penumbras —ventajoso escondite de un acechador— observo la pantomima del diálogo de ambos. Henry habla, Dolores asiente. Henry bebe de una botella de cuello largo, Dolores se aparta el cabello de la cara. Henry toca la muñeca de Dolores, Dolores aparta la mano y levanta su vaso. La camarera se detiene a su mesa, intercambia unas palabras con Dolores, que apoya una mano en el hombro de la muchacha y la deja allí, en el gesto sin reservas de una vieja amiga.

Saco unos billetes de mi billetera y los dejo debajo del plato de picadillo. Un hombre que revuelve carne en la cocina alza la vista, sorprendido, cuando empujo la puerta vaivén. Podría ser, y tal vez lo sea, el mellizo indígena de la camarera que me ha servido con eficiencia, que se puso a conversar con la "rubia".

—Sí —dice cuando señalo la puerta, entreabierta para refrescar el calor generado por la parrilla de la minúscula cocina.

En casa, arriba, en mi cuarto, también yo refresco la habitación con una ventana abierta, dejo que el viento nocturno me enfríe mientras yazgo en mi cama. Si puedo bajar lo suficiente la temperatura de mi alma, si logro bajar a menos de cero el mercurio de mis pensamientos, a la temperatura del perdón, podré conciliar el sueño, el segundo yo de la muerte.

Se inmiscuye en movimientos minúsculos, el perdón, pero en el tormento previo al amanecer del insomne lo he logrado: borrar los celos, anular la amargura.

Me quedo dormido con la piel fría como el hielo, con la sangre congelada y el aliento tan débil que no se reflejaría en un espejo.

Qué buen espíritu me he diseñado.

Qué resistencia adquiere el hombre condenado.

Qué lección comprar la libertad de mi alma a las cadenas kármicas.

Qué sentirá Dolores.

CAPÍTULO TRECE

—De todos modos, la gente no compra casas en enero —dice Zoey mientras pone frente a mí, sobre mi escritorio desordenado, una taza de café renegrido.

—¿Y? ¿Cuándo hemos cerrado en enero?

—No hablo de cerrar la oficina, Dolores, sino de que te tomes un descanso…

—¿Me crees incapaz de hacer un trabajo que hago desde hace veinte años? —El café me quema la lengua, su amargura potente es una reprimenda por el mal carácter que he mostrado a mi amiga más querida.

—Por supuesto que no. Pero…

—¿Pero qué? Escúpelo.

—Pero no eres tú misma…

Hago un silencio antes de responder.

—En realidad quieres preguntarme por qué diablos he vuelto a ver a Henry, ¿no? Quieres insinuar en mi vida tu moral santurrona y juzgar mi conducta, ¿no?

Mis palabras son una bomba cuya mecha ha encendido Zoey.

—Mira —vuelve a intentarlo—, no sé lo que pasó entre tú y Austin…

—¡Tienes toda la razón! —Ahora me he parado, sabiendo que no quiero herirla con estas crueldades aunque se me resbalen de la lengua, que lo lamentaré y me arrepentiré y lloraré por estas palabras como lo he hecho por tantas otras que he pronunciado en este último mes. Pero una vez que la compuerta se abre, se derraman, los torrentes envenenados de emociones ahogadas, compasión por mí misma convertida en agresión.

Me inclino y acerco mi cara a la suya.

—No sabes nada, menos que nada. ¡No sabes un bledo de lo que me está pasando! —Cierro los puños, mi cara se hincha con un tono airado. —¡Un bledo! ¡Nada!

Zoey me mira, una máscara polar.

Tomo mi cartera, pero se engancha en el brazo de la silla giratoria, detrás de mi escritorio. De un tirón la libero; el sillón cae de costado en el piso.

—Puedes vender este maldito lugar, si quieres —digo, y me voy.

Si al menos pudiera llorar, pienso cuando aquieto las manos temblorosas contra el frío volante del Volvo; si al menos acudieran las lágrimas y el veneno que tengo adentro se evaporara en sufrimiento. Si al menos. Si al menos. El Motor del Volvo no quiere arrancar, así que dejo el auto y camino, sin prestar atención a cualquier dirección o destino. De pronto alzo la vista y me encuentro ante el local de Jiffy Mart. Mis manos desnudas se han endurecido con el viento frío, así que empujo la pesada puerta de vidrio y me paro adentro, con los dedos bajo las axilas. Me quedo allí un rato tan largo que el empleado adolescente parado tras la caja registradora desvía la mirada del televisor y se queda mirándome fijo, como un desafío. Abro como puedo mi billetera, encuentro dinero, pago una botella de oporto y la guardo en la cartera en lugar de aceptar la bolsa que me ofrece el empleado.

Cuando llego al departamento tengo tanto frío que la llave se me resbala de la mano y sólo tras intentarlo dos veces logro abrir la puerta. Milton parpadea, soñoliento, y vuelve a acurrucarse en el sofá.

En el baño me quito la ropa y lleno la bañera con agua hirviendo. Enjuago el vaso que contiene mi cepillo de dientes, destapo el oporto, lleno el vaso. El agua me hace doler cuando me meto en la bañera, pero me sumerjo hasta el cuello, apoyo la cabeza en el borde y bebo: uno, dos, tres tragos de vino.

Pensé que iba a poder obligarme a dejar de pensar en Austin.

No puedo.

Me sabotean los recuerdos: su fascinación infantil con los milagros cotidianos, sus manos ansiosas sobre mi piel... su fe en mí... en lo que yo era. El amor recordado se entromete, cava dentro de mí un hueco doloroso que se niega a mitigarse con los fraudes que concibo.

El agua se ha puesto tibia, la botella de oporto está por la mitad, cuando unos golpes fuertes en la puerta del departamento me hacen salir del baño. No me molesto en ponerme una toalla en el cabello mojado ni en secarme el agua del cuerpo. Tomo una bata de un gancho de plástico que hay en la pared, y el plástico se rompe y la bata cae sobre el piso mojado.

—Mierda —digo. Me agacho y al levantarme estoy cara a cara con Henry Talmouth.

—Ponte cómodo —le digo con ironía, y paso a su lado rumbo al dormitorio para ir a buscar una camiseta de entre una pila de ropa tirada sobre mi cama.

—Dolores —me dice con su voz razonable, mientras su mano cargada de anillos endereza un imaginario mechón suelto de su escasa cabellera—. No atendías la puerta, y no tenía el cerrojo echado.

—No atendía la puerta porque estaba en el baño, como es evidente.

—¿Olvidaste nuestra cita?

—Henry —contesto, al tiempo que me siento en la cama para ponerme un par de vaqueros—, en siete años y medio nunca hemos tenido una "cita".

—¿No recuerdas que quedamos en encontrarnos en lo de Zeke a las tres? —Se sienta a mi lado, mirando la pila de ropa sucia, la mitad de la cual he tirado al piso, a mis pies.

—Yo sí.

—Entonces me alegro por ti, Hen. Yo debo de haberme olvidado. —Me meto la camiseta en los vaqueros, me subo el cierre de los pantalones, busco entre la ropa las medias de Garfield.

—¿Estás borracha, Dolores?

—Tomé media botella de oporto… aunque ya sé que no es una de tus bebidas preferidas, Henry, así que no te ofreceré un vaso.

Henry me repugna.

Yo me repugno.

—Dolores —me dice—, vine porque necesitaba decirte algo.

Se pone de pie y se acerca a mi cómoda; mueve las manos como una mosca nerviosa.

—Dilo —lo urjo, mientras el vino se transforma en una náusea que me sube por la garganta.

—Cuando empezamos de nuevo, no fue lo mismo, ¿verdad? —Henry está de lo más serio. Sus sensores emocionales están trabajando horas extra: ha detectado que en este asunto hay algo que no funciona.

Lo dejo continuar.

—Cuando tú rompiste, pensé que tarde o temprano volverías. Y lo hiciste, Dolores. Y después te vi en el pueblo, y de veras me alegró volver a estar contigo.

Acaricio a Milton con mi pie naranja.

—Pero ya no es… agradable. No es como antes. Así que… —Va llegando a su conclusión. —Creo que deberíamos terminar con esta relación. Ahora. Hoy.

Podría enseñarle a Henry lo que es terminar con algo, que algo que en realidad nunca ha comenzado no tiene potencial para terminar, que las terminaciones ocurren con lo importante, con lo que amamos más allá de lo creíble. Que cuando terminamos con algo que nos importa, cuando amputamos el amor que nos vuelve enteros y nos permite ocupar el lugar correcto en el mundo, unos dedos largos y horribles se meten dentro de nuestra alma y nos la roban, de modo que quedamos caminando como *zombies*.

Pero Henry no entendería, y no quiero que lo haga.

Me paro, un poco mareada, y me pongo las manos en las caderas.

—Tienes toda la razón —le digo, al tiempo que extiendo una mano como para estrechar la de él—. Acabemos con esto.

Esto sí puede entenderlo Henry, un contrato sellado

hombre a hombre. Me estrecha la mano y se va del departamento; el alivio infla sus rasgos.

Voy a vomitar. No por Henry —al fin y al cabo, es un doble error que debería haber corregido yo, si no lo hacía él—, sino porque lo único que me queda ahora es el vino y la ropa sucia y el departamento vacío y la vergüenza que sube como bilis en mi garganta.

Aun así, no puedo llorar.

Me agacho junto al inodoro y vomito. Me enjuago la boca con agua —el vaso sabe apenas a oporto— y apoyo la cara contra el piso frío.

Horas más tarde, casi al anochecer, Zoey me despierta al ponerme un paño frío en la frente.

—Estuviste descompuesta —me dice mientras endereza la funda de la almohada bajo mi cabeza—. ¿Puedes incorporarte para beber algo? —Toma de la mesita de noche una taza humeante.

Asiento con un movimiento de cabeza y me incorporo con lentitud.

—¿Cómo llegué a la cama?

—Fue Ted. Me asusté cuando vi que dejaste el Volvo.

—No quería arrancar. Vine caminando.

—Ted dice que era el cable de la batería. Él trajo el auto hasta acá. Y te encontramos ahí. —Indica el baño y, gracias a Dios, no comenta qué más encontró.

—Estás hirviendo, Dolores —dice mientras vuelve a ponerme el paño en la frente—. ¿Puedes tomar esto?

—¿Qué es?

—Sólo sopa… no te va a matar. Acá tienes Tylenol y agua. Supongo que no has comido…

—Milton tampoco. ¿Podrías…?

—Ya lo hice. Ahora ha ido afuera. —Zoey comienza a ordenar las prendas que hay sobre la cama y el piso, haciendo pilas de ropa blanca y de color, pesada y liviana. —Voy a poner una carga en el lavarropas. Enseguida vuelvo.

Sostengo la taza contra mi mejilla, luego bebo el caldo. Zoey regresa junto a mi cama.

—Si puedes levantarte un momento, cambiaré estas sábanas —me dice.

—Lamento lo que te dije, Zoe.

—No importa —responde, meneando la cabeza—. No fue tu intención.

—De veras no fue mi intención. De haber estado bien, jamás te habría dicho…

Me mira con las cejas levantadas.

Yo continúo.

—No soy la misma… Estuve…

—No tienes por qué contarme. No querías hablar de eso, y no tienes por qué hacerlo ahora.

—No es Henry. Eso terminó, de todos modos. Henry fue una recaída… un anestésico… Sé que no tenía sentido. Nunca volverá a ocurrir, créeme.

Ella espera, la buena de Zoey, tan paciente.

Cuando estoy acomodada en el sofá, con piyama limpio, y los motores del lavarropas y el secarropas vuelven acogedor el departamento, como si viviera aquí una persona sana y responsable, veo que Zoey ha pasado la aspiradora en la sala, llevado a la cocina los platos sucios desparramados, guardado en los estantes mis libros, levantado mi correspondencia de abajo de la puerta.

Se atarea en la cocina y se detiene un momento para decirme desde allí:

—Llamó Jorge. Varias veces.

Viene a la sala con una bandeja de sándwiches de queso, que pone sobre la mesita baja, frente a mí.

—Come —me dice, y toma un sándwich—. ¿Café?

—¿Tal vez jugo? Creo que quedan naranjas en la heladera.

Cuando hemos comido los sándwiches y Zoey está cargando nuestros platos en la lavadora, la llamo.

—¿Zoey? Ven aquí, por favor.

Se sienta en el sofá a mi lado, con un repasador en la mano.

—Voy a tomarme un descanso… si estás dispuesta a..

—Puedo manejar la oficina, Dolores. Te mereces unas buenas vacaciones. No necesitamos más explicaciones.

Quiero contarle. Quiero que sepa que tengo una razón para estar así. Y quiero oírme contarle esta historia, asegurarme de que he entendido bien. Así que le tomo la mano y le cuento el diagnóstico de Austin; su huida a Yosemite; el momento infinito y reverberante en que, en el porche de la casa Leland, pronunció las palabras "HIV positivo"; el doctor Hindari y los nuevos análisis; mi decisión de apartarme… la reanudación de la indiferencia con Henry. Cuando no me queda más que decir, cuando me quedo sin palabras y sólo me resta un dolor en el pecho que ya se me ha vuelto tan conocido como los latidos de mi corazón, ya no sé dónde termina la historia. Zoey llora cuando termino, lágrimas silenciosas que no se enjuga porque sus dos manos aferran las mías, dos pares de palmas unidas en un intenso apretón de hermanas de sangre.

Hay quienes dicen que la comprensión no cura, que reduce, que empequeñece con su falsedad inherente;

¿cómo puede la persona comprensiva imaginar, al fin y al cabo, todo el horror de un relato como el de Austin y yo? Pero lo que descubro cuando me he agotado con la narración y mi mejor amiga deja caer sus lágrimas es que la comprensión de Zoey disuelve las barras de hielo que me rodean el corazón.

Acurrucada contra su pecho, acunada entre sus brazos, puedo llorar. Por fin, en un dolor largamente negado, lloro. Lloro por la pérdida de Austin y por la mía, por la pérdida de esa cosa mágica que habíamos hecho entre los dos, por la persona entera en que nos convertíamos cuando nuestros yoes se unían. Me descubro llorando por Austin solo, por las libertades ausentes que dan por sentadas y apenas si agradecen los que viven mucho. Por la declinación hacia la muerte que dicta el sida. Lloro por mí, porque la elección que he hecho no ha logrado divorciarme ni de esta constante sensación de licencioso desperdicio ni de su leal compañía, la inevitable perspectiva de la pena final. Pena que será mía para siempre, estemos o no Austin y yo separados por doce cuadras o doce mil kilómetros, lo vea yo a diario o nunca más.

Zoey me acaricia el pelo, me roza la mejilla con la palma de la mano.

—No voy a preguntarte si ya te sientes mejor, Dolo —susurra.

—Oh, Zoey. —Me siento derecha en el sofá. —Soy tan hábil para no saber lo que siento… Pero me sentiré mejor, te lo prometo.

Zoey me aprieta la mano.

—Voy a sacar la ropa —me dice, y se levanta.

Trae a la sala una canasta llena de ropa seca. Nos sentamos a ordenar y doblar las prendas en silencio. Cuando las pilas descansan prolijas sobre la mesita baja, decidimos que me tomaré dos, o tal vez tres, semanas de descanso. Zoey me informará si ocurre algo extraordinario en la oficina; yo le daré mi itinerario si decido irme un tiempo de Woodland.

Cuando los bocinazos de Ted la reclaman, Zoey me apoya una mano en el hombro.

—Gracias, Zoey. Por esto y más que esto. —Indico con un gesto la habitación limpia.

Me besa en la mejilla.

—Le dije a Jorge que lo verías.

Le respondo que sí, que veré a Jorge.

A la mañana siguiente me despierto temprano. Milton ronronea despacio contra mi pecho. El cielo está encapotado y sombrío; sería mejor que lloviera, pienso. La lluvia sería acción, movimiento, una transición limpiadora a la estación siguiente, una cancelación de la melancólica inercia del invierno. Me ducho y cuelgo las toallas con prolijidad. Las pilas de ropa limpia que hay en mi habitación son emblemas de la fe de Zoey en que seguiré adelante. Me pongo unos vaqueros y un pulóver grueso y hago café en la cocina, después de dejar en el piso el recipiente lleno de comida de Milton.

En las últimas horas de la mañana voy en el auto hacia el sur del pueblo, hacia donde viven Jorge y Julián, en las chozas para obreros de la calle Bianchi. Es miércoles, y Jorge debería estar en la escuela, pero con frecuencia no va, como sé por experiencia: las muchas llamadas telefónicas que ha hecho a mi oficina en horario laboral delatan que ha perdido el ómnibus o se ha fingido enfermo para no asistir al colegio. Arinda Mesa dice que el ausentismo es típico de las familias que permanecen menos de un año en un distrito. Yo creo que los problemas de asistencia escolar de Jorge son consecuencia de vivir en una casa con demasiados adultos y demasiados problemas, con demasiado poco espacio y demasiado poca infancia.

El Volvo traquetea en la calle barrosa y estropeada y se detiene frente a una hilera de chozas estrechas. La casa de Jorge es la última de la línea, donde empiezan los campos desnudos y la tierra grumosa se extiende hectárea tras hectárea. Salto del auto al cemento y golpeo la puerta hueca. Cuando aún resuena el eco de mi último golpe, la puerta se abre y Jorge salta a mis brazos.

—Hola, chiquito —le digo, y abrazo su cuerpo fibroso—. ¿Quieres salir a comer conmigo? ¿A un McDonald's, tal vez?

Responde que sí, todo luminosos ojos negros y solemnidad.

—Tenemos que dejarle una nota a tu papá, ¿de acuerdo? Ayúdame a escribirla. —Jorge traza las palabras, preguntándome cómo se escribe una u otra, y decido que pasaré con él por la escuela para hablar con el director e idear un plan que asegure su asistencia a clase con los otros chicos, como debe ser, en lugar de quedarse solo en esta choza fría. Si quiero ayudar a Jorge, necesito convertirme en una especie de legítima guardiana, dijo Arinda, traduciendo mis palabras al español para Julián. Me aseguro de que Jorge escriba "Dolores" en letras claras al final de la hoja, para que Julián sepa que su hijo está conmigo.

En MacDonald's, mientras Jorge sumerge las papas fritas en *ketchup,* yo pienso en lo insignificante que debe de ser un chico de piel oscura para un maestro que ha dado por sentado que el alumno se ha ido a vivir a otra parte; para el director, que no tiene ni tiempo ni dinero ni inclinación para verificar dónde están los alumnos que no asisten a clase; para el distrito al que se ha confiado la educación de Jorge. Hablaré con Arinda acerca de ese programa CASA que me mencionó, en el que adultos no emparentados pueden optar ser tutores de chicos como Jorge, como tíos y tías vinculados por una consideración consciente más que por la sangre.

Dejo a Jorge frente a su casa, con una bolsa de hamburguesas para Julián. (Fue idea de Jorge: "Para papá también", dijo cuando nos paramos ante el mostrador.) Mientras el Volvo avanza tembloroso por los caminos cubiertos de barro, me doy cuenta de que durante dos horas he emergido del letargo que parecía haberme robado el alma. Puedo hacer esto por Jorge, me digo, puedo ser parte de su vida, y mi presencia guardiana y mis motivos generosos lo impulsarán a un largo futuro: a la adultez y más allá, y luego hacia la vejez y una muerte amable y oportuna.

Una muerte amable y oportuna. Al final, siempre retorno a Austin. Lo que está sucediéndole a Austin ha achatado los contornos de hechos y episodios, de modo que, esté donde estuviere, en la desconstrucción de la desesperanza o la invención del propósito, sólo puedo preguntarme qué estaría sucediendo ahora si yo hubiera escrito la historia de una manera diferente. En forma abrupta me doy cuenta de que mi pregunta se ha convertido en necesidad: necesito saber. Necesito saber cómo pasa sus días: qué escribe en su computadora, en su oficina de King Hall; si hoy Jason Loman lo ha hecho reír; cómo se duerme a la noche: con la mano extendida o cerrada bajo el mentón. Necesito saber porque esos breves meses de recuerdos que hemos pasado ya no bastan para satisfacer la urgente avidez que clama dentro de mi cabeza, llevándome del pasado al presente como el cosmos hace girar la Tierra de la noche al día.

Le dije a Zoey que no sé lo que siento. Pero esto lo reconozco.

La librería de Eddie está casi vacía. Terminadas las vacaciones, la venta de libros decrece, me comenta mientras se recoge el cabello canoso con una banda elástica y me lleva hacia la cafetera que suelta su aroma en el aire cálido de su local.

—Con las casas pasa lo mismo —digo, y me sirvo una taza.

Eddie tiene la librería perfecta. No difunde sus opiniones, aunque las tiene fuertes. Su lista de lecturas recomendadas es siempre más considerada que la de *best-sellers* del *Times,* y su café es el mejor que puede beberse en la ciudad, salvo que él lo ofrece gratis. Estar en el negocio de Eddie es como visitar la biblioteca de un viejo amigo, un amigo con quien uno puede quedarse un rato sin sentirse obligado a conversar.

En el estante de libros infantiles encuentro un libro para Jorge y lo separo. Sigo los nuevos títulos de ficción hasta los de poesía, libritos delgados de tapas blandas donde cada línea tiene sentido, donde cada palabra justifica su elección entre todas las elecciones posibles. Dispongo de dos semanas libres, me recuerdo: dos semanas sin un programa de actividades adaptado a las vidas de otras personas, dos semanas en las que puedo medir el paso del tiempo con páginas en lugar de horas. Estudio los títulos del fondo del negocio de Eddie, un túnel oscuro que alberga mundos enteros construidos sobre el lenguaje. El aire tibio con aroma a café, las sombras entre los altos anaqueles, el murmullo de las páginas del libro que está leyendo Eddie... todo conspira para trasladarme a la infancia, al estudio de papá en el piso de arriba, en una combinación de espacio y tiempo que me sobrecoge de manera tan súbita y con tal fuerza que me siento en el piso, con las piernas cruzadas, atrapada en la inversión de la historia.

Viajaría hacia atrás en el tiempo si pudiera, a la dulce seguridad del regazo de papá y un buen cuento contado a la hora de irme a dormir, un cuento cuya resolución nunca dejaba de llevarme a un sueño confiado, segura de que las cadenas de los monstruos conquistados resistirían, su fuerza dominada por la voz suave de mi padre. Es probable que Jorge ya haya superado la edad de esa seguridad y la doctrina infantil que subraya: que si cumplimos con nuestra parte, los hados nos recompensarán con un final feliz. Abro el libro que elegí para Jorge, lo hojeo y llego a estas líneas:

Y cuando llegó al lugar donde están las cosas salvajes,
éstas rugieron sus rugidos terribles y mostraron sus dientes terribles
y revolearon sus ojos terribles y mostraron sus terribles garras
hasta que Max dijo: "¡QUIETOS!"
y los domó con el truco mágico...

Y estoy llorando de nuevo, las lágrimas que no terminé de llorar ayer, porque no veo modo de circundar el crimen cometido contra la vida de Austin, ni cura mediante una frase, ni truco mágico.

Deben de ser los pies de Eddie los que se aproximan, llamados a mí por el lamento que ahogo contra mi manga. Una mano me toca el hombro.

—Prueba con esto —me dice la voz conocida—. Tal vez te sirva.

Alzo la cabeza y veo la mano —no la de Eddie—, que sostiene *Los poemas completos* de Emily Dickinson, los dedos finos y fuertes flexionados alrededor del grueso volumen.

Alzo los ojos al rostro de Austin.

Él se agacha. Nuestras caras están tan cerca que podríamos besarnos si pudiéramos elegir.

—"El Alma…" —comienza, como el inicio de un cuento de hadas.

—"…tiene momentos Atados" —concluyo, una tragedia.

CAPÍTULO CATORCE

Esta mañana vi el Jeep, la parte de atrás de la cabeza oscura de Austin, los rulos de la nuca tocándole el cuello de la camisa. Sus hombros anchos, las dos manos sobre el volante. Verlo me sorprende el corazón con —no con alegría; es algo tan poco profundo— una honda y complacida satisfacción; durante toda la reunión de la mañana con nuestro contador y la papelería, con Zoey y los cálculos preimpositivos, sonrío. Durante todas las tareas comunes de las que me valgo para seguir adelante, sonrío. Siento la oficina extrañamente apacible, un oasis ordenado, un bastión plácido contra el caos del universo. El contador se va y se lleva las carpetas que absuelven mi vida de los castigos federales o incluso de una nota oficial: Dolores Meredith, cuarenta y un años, jamás casada, sin personas a cargo, se mantiene sola y emplea a una persona, paga sus impuestos debidamente, recuerda alimentar a su gato.

Soy más que eso. Puedo ser más.

—Debes de sentirte mejor —dice Zoey—. El año pasado, cuando llegó el momento de la declaración de impuestos, amenazaste con tomarte un crucero a Alaska hasta que el contador terminara... ¿recuerdas?

—Por Dios, sí, lo recuerdo.

Estudio el lápiz recién afilado que sostengo en la mano, el borde circular de la punta de goma, la línea festoneada entre la pintura naranja y la madera, el núcleo oscuro de grafito. Los lápices nuevos siempre han significado comienzos para mí. Recuerdo las excursiones matinales de fines del verano a una gran tienda del pueblo, la mano grande de papá tomando la mía, pequeña; las idas y venidas por los pasillos del negocio, la búsqueda de lápices y papel con los cuales yo escribiría mi nueva vida en segundo o quinto o séptimo grado.

Después comprábamos sándwiches y gaseosas a un vendedor callejero que le vendía el almuerzo al gobernador, según decía papá. En un banco a la sombra, en el parque del Capitolio, disponíamos nuestro picnic. Me parece ver las botellas verdes de gaseosa, los platos de cartón con los sándwiches de jamón y *pickles*. Me parece oír la consagración de mi padre ante nuestra comida en comunión: las líneas apasionadas de Christopher Marlowe y Robert Herrick y Andrew Marvell contra el coro de autos que se apresuraban por la calle.

Los escritores preferidos de papá estaban ya todos enterrados en el siglo XVIII, así que a Dickinson la descubrí sola en un décimo grado (para ese entonces compraba los lápices por mi cuenta) en las páginas de poesía que nos hacía pasar por alto la señorita Antonini para llegar a tiempo para nuestra obligatoria producción de *Hedda Gabler*. Los versos abruptos, crípticos, me fascinaron; sus mensajes oscuros me llegaban directo al corazón. Sin embargo, hacía años que no leía a Dickinson, hasta que Austin me dio sus poemas completos en la librería de Eddie. Cuando la leo ahora —empresa devota, ya que fueron las manos de él las que entregaron el texto—, sus versos esbozan para mí un pacto, un voto que convierte la aflicción en arrobamiento. Me lleno de una robusta tranquilidad, una fortaleza que me urge a ir hacia adelante; para salvar el tiempo, aprehender estos días.

—¿Dolores?

—Disculpa, Zoe. —Meneo la cabeza, vuelvo con rapidez al presente. —Estaba atrapada en las redes del tiempo.

—Yo estaba pensando en ti y Jorge… Recorté esto, por si no lo viste, sobre la exposición del Museo Infantil. —Zoey deja el recorte del diario en mi escritorio. —Por si te estás quedando sin ideas…

—Gracias. —Echo un vistazo al artículo, luego lo doblo y lo guardo en mi cartera. Exhalo un suspiro, estiro los brazos por sobre la cabeza y alzo las piernas sobre el escritorio. Mientras Zoey enjuaga la cafetera en la parte de atrás del negocio, le digo: —¿Sabes lo que he descubierto, Zoe?

Cierra la canilla.

—Disculpa… ¿qué dijiste?

—¿Sabes qué me parece es lo más importante para Jorge? —Zoey se sienta en una de las sillas para los clientes, se acomoda para una ociosa charla después del trabajo. —Los viajes y la ropa y los médicos no son tan importantes como la seguridad, ¿no? Me parece que, mientras Jorge sepa que estoy aquí, mientras sepa que si me necesita estaré, el resto del programa es casi secundario. Por supuesto que sé cuán importante es llevarlo al oftalmólogo y enseñarle a ir a una biblioteca, pero para él… para él lo grandioso es que yo soy Dolores… y que puede contar conmigo.

Zoey me sonríe.

—Es asombroso que lo hayas descubierto. Para ser una mujer sin hijos, quiero decir… Te hace feliz ser su madrina, ¿no?

—Me hace feliz… Me enriquece.

Me enriquece regalarle libros a Jorge, y Julián le ha construido un estante de madera de pino en el que guarda su creciente biblioteca. Después del taller de poesía solemos pasar por la librería de Eddie, y Jorge, sentado en la silla del pasillo de los chicos, hace un prolongado análisis comparativo para determinar la selección de la semana.

Ahora, mientras él lee, yo me apoyo contra el mostrador y observo a Eddie abrir la entrega de libros de la semana, que él va poniendo, uno a no, sobre la superficie de arce.

Cómo cuidar a un ser querido afectado de sida
Anatomía de una enfermedad
El abrazo mortal: Cómo vivir con el sida
Consejos para vivir con HIV

Eddie alza la vista de la caja.

—¿Hoy no llevas poesía?

—¿Hoy? No, sólo lo que elija Jorge… Gracias, Eddie. —Mi mano descansa sobre la pila de libros. —¿Un pedido especial? —pregunto.

—Uno lo pidió alguien… un amigo… Los demás los encargué yo. —Eddie ríe, una carcajada triste. —Hoy en día el mundo no es todo poesía, ¿verdad? —Levanta los libros y los carga contra la cadera, al estilo escolar.

Cuando llegamos a su casa, le doy a Jorge un abrazo prolongado. Está impaciente en mis brazos; quiere correr adentro a leer su libro nuevo. *Vivir con el sida,* oigo que se repite la frase dentro de mi cabeza cuando Jorge cierra la puerta tras de sí. *Consejos para vivir con HIV,* vuelvo a ver las letras cuando Jorge levanta la cortina deshilachada y aprieta la cara contra la ventana. "El abrazo mortal", me digo cuando, ya cayendo la noche invernal, estaciono ante mi departamento: podría haber sido un título de Dickinson.

Excepto que Dickinson nunca le puso título a nada. Porque un poema sin título escapa a la expectativa, enseña a descartar el prejuicio, invita a descifrar el contenido. Tal como yo hago con la vida de Austin, y la mía.

El sábado a la mañana temprano salgo a mostrar casas a unos clientes nuevos. Después se apodera de mí tal lasitud que apenas si logro subirme al Volvo. El motor hace ruido, pero el auto no se mueve. No tengo fuerzas para llamar al remolque, así que me subo al Buick, pongo al máximo la eficiente calefacción y enciendo la radio.

No sé bien cómo llego a lo de Eddie. En uno de esos vacíos psíquicos, cuando perdemos minutos y conciencia, cuando más tarde miramos atrás, asombrados, y nos preguntamos cómo pudimos haber estado manejando el auto si no recordamos haberlo hecho, me encuentro estacionando frente a la librería. Sé por qué estoy aquí, aunque no logre recordar el camino por el que he venido. Dentro del negocio, encuentro los libros en los estantes dedicados a temas de salud y los bajo todos.

—¿Un amigo? —me pregunta Eddie mientras saca la cuenta.

—Un amigo… un buen amigo —respondo, y aprieto el paquete contra mi pecho.

Ya en la puerta, me detengo y me doy vuelta, los ojos bajos.

—No todo es poesía, Eddie, tal como dijiste.

Leo toda la noche, con una manta alrededor de los hombros, Milton ronroneando en mi regazo. Leo los consejos para el contacto físico seguro, las controversias respecto de los diversos tratamientos, las estadísticas demográficas. El domingo a la mañana leo más, memorizando los casos relatados, las anécdotas de médicos y enfermeras, la plétora de dolor y pena y muerte diaria, y, entretejida con las palabras de cada página, leo la eufonía de la devoción. Leo sobre los padres, las madres y las parejas, los hermanos y las hermanas, los bebés, los hijos y las hijas, los amantes. Leo como si estuviera abarrotándome de conocimiento para un examen final, hasta que me da la impresión de que mi cabeza va a estallar con la masa de sufrimiento humano y fortaleza sobrehumana, hasta que Milton me palmea con una pata para decirme basta, levántate, haz algo.

Lo que hago es subir al Buick cuando ha caído la noche, cuando las cortinas están corridas y encendidos los faroles de las calles.

En la calle Tyron doblo, avanzo sigilosa ante los porches elegantes, los olmos desnudos. La casa Leland se halla oscura, salvo una ventana de la planta alta, la ventana del estudio de Austin. Detengo el auto frente a la casa y contemplo el vidrio iluminado. ¿Qué está haciendo Austin?

¿Corrigiendo pruebas? ¿Leyendo el *Law Review*? ¿Hojeando un libro de Dickinson? ¿Acaso el libro se le ha deslizado de las manos y caído al piso? ¿Tiene los ojos cerrados, sumido en sus pensamientos? ¿O se ha quedado dormido, y sueña? Me concentro en los cristales que separan su vida de la mía. Necesito saber si sueña, y con qué.

Como si pudiera entrar en sus sueños con la sola fuerza de mi voluntad, mi ensoñación me ubica dentro de la casa. Subo las escaleras lustradas hasta la planta alta, abro la puerta del estudio. Entro en puntas de pie y me acerco a la mecedora en que se halla sentado Austin y apoyo mis manos en sus hombros y le hago masajes en los músculos de la nuca.

—Qué lindo —dice, y ladea la cabeza buscando un beso.

Lo beso, una vez en la sien, otra en la ceja, en los labios.

—¿Terminaste con las pruebas? —pregunto, sentada en el piso, a sus pies.

—Casi.

—¿Tienes hambre?

—¿Qué hay? —Me levanta el pelo hasta lo alto de la cabeza, lo deja caer.

—¿Sobras? ¿Sopa? ¿Espaguetis en lata?

—No tenemos espaguetis en lata, Dolores.

—Lo sé, amor —digo, apoyando mi cabeza en sus rodillas.

Permanecemos sentados, callados, completos.

Cenamos sopa y sándwiches frente al fuego, en el salón, que Austin alimenta con recortes de su taller de carpintería; sostenemos los platos en el regazo. En la cocina, después de nuestra comida sencilla, Austin enjuaga, yo cargo la lavadora. Yo limpio la mesada, levantando cada uno de los frascos de remedios de Austin, la alquimia de la ciencia y la esperanza que nos compra tiempo.

—¿Café? —pregunto.

—Esta noche no.

Subimos las escaleras hasta el dormitorio, compartimos el baño mientras nos lavamos los dientes.

Él enciende las luces de los veladores y nos acurrucamos juntos bajo la colcha. Yo apago mi luz, con cuidado de que no caiga el portarretrato con la foto de Austin, y le paso un brazo por el pecho.

—¿Quieres que apague la luz? —me pregunta.

—No… Sigue leyendo, profesor.

Milton salta a la cama y se acomoda en el hueco que dejan nuestras piernas.

—Buenas noches, muchachos —susurro, bostezando.

—Espérame —dice Austin; pone un marcador en su libro, apaga su velador y me toma en los brazos en la habitación sumida en dulce oscuridad.

El aullido lúgubre de un perro desgarra la proyección del tierno relato que desarrollo en mi mente, perturbándolo con su brusquedad. Las ventanas del estudio se vuelven negras. La casa Leland se sumerge en sombras. Arranco el Buick y vuelvo al departamento, donde tiendo mi cama; la escena que he imaginado es como un opiáceo en mis venas.

A medida que pasan las semanas encargo nuevos libros a Eddie, y la mesa de mi pequeña cocina se va cubriendo de las obras que él me sugiere, de folletos, de artículos de diarios y revistas. Mi proyecto de investigación crece, mi ignorancia de la enfermedad de Austin disminuye. Mi definición del tiempo se expande y se contrae y se expande otra vez. Leo los fríos estudios clínicos. Leo las trágicas evocaciones en primera persona. Leo los poemas sin título de Dickinson, los versos intrincadamente enhebrados donde el horror y el éxtasis, el miedo y el placer, la muerte y el amor van uno junto al otro, comprometidos versos tras verso tras verso.

Sopeso los años de mi historia, la media vida que he aceptado con tan poco cuestionamiento, con tan ciega paciencia. Contra los seis meses durante los cuales Austin y yo inventamos nuestra propia física de tiempo y espacio, sopeso toda mi existencia. Aprendo a dudar de que el paraíso rechazado sea protección contra el paraíso perdido. Y comprendo, un crepúsculo en que el sol hace añicos el cielo occidental con un glorioso desafío dorado a la noche, que mejor sería vivir una dicha transitoria siempre recordada que un arrepentimiento cobijado, sellado.

Cada día controlo los platillos de la balanza, observo el equilibrio cambiante de las bandejas suspendidas de plomo y oro. Cuarenta años solitarios del pasado se desploman; un futuro con Austin —¿cinco años? ¿quince?— se extiende más allá del horizonte.

Jorge ha cumplido siete años. Celebramos en el Centro durante las horas del taller de poesía. Invitamos a Julián y Lilia y Antonio, a Arinda Mesa, Eddie, Zoey y Ted, Dodie y Frank Murphy. Los chicos comen demasiada torta de frutillas y corren chillando por la sala. Le daré a Jorge su regalo más tarde, cuando Arinda me ayude a explicar en español cómo funciona el fondo de ayuda, como contribuirá a que Jorge pueda completar su educación elemental y después ir a la universidad, si lo desea. Después, sola, mientras junto platos y servilletas, pienso que a Austin le habría gustado esta fiesta, que debería haber estado aquí, conmigo y con Jorge.

El motor del Volvo no tiene arreglo, o me costaría un precio astronómico. Pongo un aviso en el *Daily Democrat* y lo vendo por doscientos dólares, la mejor y única oferta que me hacen.

A fines de abril Zoey y yo cerramos la oficina una semana y volamos a Seattle, a la Convención de Vendedores Inmobiliarios del Noroeste. Zoey insiste en que yo debería asistir a alguna de estas presentaciones, que no todas son insoportables. Pero durante la mayor parte de los días lluviosos que pasamos allí, yo vago por las librerías y bebo café *espresso* en las coquetas cafeterías. En el vuelo de regreso a Sacramento, Zoey me dice que se siente renovada, como si hubiéramos estado de vacaciones. Yo me siento serena, una mujer equilibrada que está a punto de dar el paso que la lleve del centro seguro de su pedestal de plomo al sendero de oro del resto de su vida.

Cada hora que dejo pasar sin Austin es una hora que no tendré para recordar, una hora del oro más puro que no podré contar entre nuestras horas perfectas. Podrían ser muchas —estas joyas de memoria imperecedera—, podríamos llenar todas las habitaciones de la casa Leland con su resonancia, de modo que ninguno de los dos viviera un solo momento de arrepentimiento, nunca.

Llega el día, una tarde de junio, en que comprendo que he hecho una elección, que aunque me haya sumido en la desesperación y huido en la ignorancia, esta decisión fue tomada hace meses en el centro más profundo de mi alma, en la sabiduría de mis huesos. Tal vez mi corazón lo haya sabido desde el primer momento que puse los ojos en Austin: que, cualesquiera sean nuestros destinos, cualquiera sea nuestra fortuna, deben ser nuestros destinos, nuestra fortuna.

Iré al hombre al que amo.

Lo cuidaré, y él me cuidará, y si los Hados deciden robarnos nuestros años o dejarlos correr, tomaremos nuestro placer antes de que se torne dolor.

CAPÍTULO QUINCE

Una vez discutimos, Dolores y yo, si cortar flores para la casa. Ella sostenía que nuestro placer en la presencia de las flores cortadas —los formales gladiolos amarillos en el florero apropiado en la mesa de la cocina, su impulsivo rocío de capuchinas y geranios rosados que florecen en una taza de café sobre mi escritorio— fortalecía los tallos cortados en los cánteros. "Una variación del árbol que cae en el bosque, Austin", me decía riendo. Si las flores crecen en un jardín y el jardinero está demasiado ausente u ocupado para deleitarse con su belleza, ¿qué valor tiene esa belleza? Si cortar flores gratifica a la mujer que enjabona platos en la cocina o complace al hombre sentado durante horas ante el teclado de su computadora, ¿su valor no se multiplica diez veces? Es la premisa de un hedonista, le dije, y la atraje hacia mí para besarla. Es cierto, convino ella, y me echó los brazos al cuello.

Pero "hedonismo" no es la palabra adecuada para describir el único beneficio que el hombre condenado encuentra en su sentencia terminal: la compulsión de comprimir treinta años de éxtasis en los últimos meses que le han sido asignados. En su ingenua primera frase en defensa de las flores, Dolores habló de recoger las cosas que aparecen en nuestro camino, de asegurarnos de no ignorar nada, de no derrochar nada. Uno empieza a pensar que, si es capaz de hacerlo durante veinticuatro horas sin desperdiciar un solo momento de pura atención, demorará las ruedas del tiempo. Uno empieza a pensar que, si captura cada nuevo amanecer en su memoria ocular, o la paleta de naranjas de cada puesta de sol, podrá magnificar las semanas y los meses en la proporción de toda una vida.

Cuando lo que uno tiene en el presente no satisface el ansia y uno se encuentra tanteando los límites del tiempo y deseando el futuro —la mano fresca de una mujer en la frente de uno, una compañera del otro lado de la mesa cuyos cristales tintineen contra los de uno en un brindis de acción de gracias—, uno aprende a codiciar el pasado. Uno recuerda haber plantado un cedro y medido la circunferencia de su tronco en diez años, veinte, treinta. Uno imagina a la mujer que es la otra mitad del propio corazón sosteniendo a un niño moreno en el regazo, las cabezas de ambos juntas, en gesto de conspiración. Uno mira hacia atrás, aplaca su sed en el lujo de la memoria porque lo que uno tiene es lo que tiene hoy y lo que puede evocar de ayer. Y puesto que un día despertará y encontrará el mañana en bancarrota, uno se descubre racionando hasta los recuerdos.

Uno llena sus días con distracciones.

Mis visitas mensuales al doctor Hindari tienden a cambiar de foco, y a menudo lo que comienza como una visita médica concluye como un intercambio espiritual. Él me da turnos en las últimas horas de la tarde, y tenemos la costumbre de conversar bien pasada la hora de cierre de la clínica, después de que Carlene ha apagado las luces y cerrado la puerta de la clínica tras de sí. Él dispensa con facilidad lo indispensable: sus diestros dedos cubiertos con látex cumplen con su deber de verdugo extrayéndome sangre, y después nos sentamos cómodos a charlar mientras bebemos café o una gaseosa. Sé que en general estas tareas de control, de recolectar y evaluar, recaerían en un asistente de laboratorio, alguien para quien mi nombre no significara nada más que un constante recuento saludable de células T. Aprecio sin cuestionamientos que se haya convertido en un amigo singular, y que yo parezca ser lo mismo para él.

Un día, en parte broma y en parte piedad por mí mismo, digo que en los Estados Unidos mi enfermedad ha creado una casta intocable, un estrato social del cual nadie —ni blanco ni culto ni de la clase alta— puede elevarse. Uno confiesa su casta y se convierte en un paria.

—Mírelo de otro modo —me responde el doctor Hindari con amabilidad, al tiempo que toma sus pesados anteojos—. Piense que usted es uno de los pocos a quienes les han dado lentes… —Da unos golpecitos en la montura negra de las gafas. —…lentes que le permitirán ver cosas que otros no pueden… Rara vez la vida nos permite un curso de adiestramiento como el ínterin entre la adquisición del retrovirus y el inicio de la enfermedad.

"En mi cultura consideramos que nos viene una verdad religiosa central de la esposa de Shiva. La llamamos Kali, la diosa de la destrucción. Pero también la conocemos como Parvati, la diosa de la maternidad. En el hinduismo, ella representa el movimiento incesante del tiempo y la materia, a través del nacimiento hasta la muerte.

Escucho su voz baja y pareja, hipnotizado por la confirmación que su cordial catecismo brinda a mis propias deducciones, mi acto equilibrante que practico todos los días.

—No ponemos a las dos en oposición, como hace el mundo occidental. Son… puntos de un mismo *continuum*.

—¿Y mi… lección, mi certificación al final de este curso de adiestramiento…? —replico. Tal como él se proponía, la piedad por mí mismo queda borrada por sus palabras purificadoras.

—Ah, Austin —responde, sonriendo—. Usted hace su camino hacia el *moksha*, la perfección del alma.

A la noche, tarde ya, reflexiono en el hinduismo tranquilo del doctor Hindari, cuando dejo que mi mente se aparte de lo inmediato y lo práctico hacia lo metafísico, cuando la luna arroja las sombras de los olmos contra el cielo raso del dormitorio en un laberinto de luces y oscuridad… cuando pienso, siempre, en Dolores.

Comprendo —comprendo demasiado bien— la ahogada explicación que me dio hace meses, la desgarrada separación, la clase de amor que no nos prepara para soportar su ausencia.

Recuerdo cuando Dolores me contó la historia de la melliza de la casa Leland, la imagen idéntica cuya pálida aparición puedo ver alguna noche de invierno. Nosotros somos como la casa Leland, me dijo una vez, acurrucada en el círculo de mis brazos: cada uno completa al otro.

A menudo, cuando la casa se acalla y un siglo de historia parece compartir el aire que respiro, me parece sentirla dentro de estas paredes, a mi lado. La siento en los movimientos más simples: tomar un vaso del aparador de la cocina, levantar un leño en la chimenea, pasar una escoba por el piso de madera. Meros movimientos domésticos, labores de marido y mujer que simbolizan la perspectiva de todo lo que perderemos, el ballet que se interrumpe antes de que termine la trama, antes de que se extinga la música.

El sábado a la mañana viajo al paso Donner. Es más de la medianoche del domingo al lunes cuando estaciono el Jeep frente a mi casa. El lunes debo dar tres horas de clase por la mañana, y luego enfrento un largo rato de tareas administrativas. Para el final de la tarde, cuando pongo mi portafolio sobre la mesa de la cocina y dejo mi chaqueta en la silla más cercana, estoy demasiado cansado para subir las escaleras a acostarme en una cama de verdad. Me siento en el sofá, estiro las piernas encima de la mesa baja (donación de Annie cuando se enteró de mi taller de carpintería casera) y apoyo la cabeza contra el respaldo. El cansancio supera los sueños, y me relajo hasta dormirme.

Me despierto con un beso. No un beso: un roce contra mi mejilla, una lengua de lija, unos bigotes, el aliento de un gato convertido en ronroneo, un peso sólido que me entibia el pecho, sin moverse. Toco una cabeza, palpo una cola larga.

—¿No serás... Milton? —digo, mientras parpadeo bajo la luz mágica de los faroles de la calle.

Es Milton; ya no lo dudo cuando enciendo la lámpara de lectura y le acaricio la mancha en forma de diamante. Pestañea dos veces, estira una pata y se para en mi regazo, curioso.

—Estás muy lejos de tu casa, Milts —me asombro.

No tiene sentido que haya hecho ese viaje increíble; Milton es un gato de departamento. No tiene por qué conocer la calle Tryon.

¿Se habrá perdido en un viaje al consultorio del veterinario? Difícil.

¿Un accidente?

¿Coincidencia?

La respuesta llega en la voz que sale de la cocina, del país de la cartografía de mi corazón.

—Está en su casa —dice.

En la vida hay momentos, fracturas en los canales del tiempo común, en que lo que sucede encierra un significado tan inmenso que años y años después, mucho más adelante en el futuro no narrado, el recuerdo de dichos momentos retorna con la misma vitalidad, se los evoque seis veces por día o seis mil. Estas fracturas del tiempo dan un indicio de la inmortalidad. Son lo que nos mantiene vivos.

Miro a Dolores, su halo de cabello dorado, los ojos que sólo me ven a mí.

—Y yo también —agrega.

EPÍLOGO

Esta noche llamó Jorge, del Hospital de Niños de Los Ángeles, donde está haciendo su residencia. Le encantan los chicos, dice, pero desdeña la ciudad. Come demasiada comida mala, y quiere que yo plante hileras e hileras de tomates para que en agosto, cuando vuelva a casa, a Woodland, pueda comer sándwiches de tomates caseros mañana, tarde y noche. Prometo plantarlos en cuanto pare la lluvia, y le envío mi amor.

Vestida con una bata, me quedo parada en la cocina con las manos sobre la mesada. La ventana de encima de la pileta me devuelve la luz. El cedro del fondo se dobla con el viento; la lluvia golpea contra los vidrios. Las estaciones me hablan, ahora que ya hace veinte primaveras que soy jardinera, con una vocación que crece más y más insistente cada año que pasa. Cuando la temperatura sube un poco, cuando el ángulo de la luz del sol cambia hacia el norte, comienzo a preparar el jardín, revolviendo la tierra y plantando las semillas antes que nadie en el pueblo. "Te adelantas al tiempo de crecimiento —solía decirme Trevor Tuskes—. ¿Qué es lo que no puedes esperar?"

Abro la puerta de atrás y salgo al patio de pizarra. La lluvia es fuerte pero cálida contra mi piel; demora sólo un momento en empaparme el pelo y la bata. Me saco las pantuflas y camino descalza por la pizarra hasta el cantero de flores donde, en mi otra vida, mi vida de verdad, Austin enterró a Milton.

En una breve temporada de calor, en el otoño en que nos vimos obligados a abandonar nuestra tradición de cargar cámaras y mochilas y cruzar al lado este de las sierras a ver los álamos convertirse en oro, Milton se acurrucó en el rincón deshilachado del sofá y se quedó dormido. Ciego con dignidad, como el poeta cuyo nombre llevaba, se acostó allí sin quejas y se escabulló pacíficamente de nuestro amor. Austin insistió en cavar la tumba, aunque sus brazos ya estaban tan delgados que yo podía ver el esfuerzo de los músculos que delineaba cada palada de tierra pura y oscura. Sin hablar, trabajamos juntos y depositamos a nuestro viejo amigo en el humus amable del jardín de la casa Leland.

Un macizo de anémonas brotará del montículo ovalado donde yace. Jamás entresaqué los bulbos, que cada año se vuelven más y más densos de modo que cada junio siento un nudo en la garganta cuando veo la colorida carpeta de capullos sobre la pequeña tumba de Milton.

Mi Austin nunca me ha dejado. Ahora la casa Leland y yo somos una pareja; nuestros amantes, bienvenidos fantasmas. Zoey me preguntó, poco después, cómo podía seguir viviendo aquí, cómo podía soportarlo. Eso ya ha terminado, Zoey, le respondí; la parte infernal ha pasado.

En los jardines no hay un terrón de tierra que sus manos no hayan trabajado, no hay un metro cuadrado de la casa Leland en que caigan mis ojos del cual Austin se halle ausente.

A veces, tarde, a la noche, puedo recorrer con los dedos su sombra dormida junto a mi cuerpo, puedo acompañar con el subir y bajar de mi respiración la de él.

Recordar no lastima. Cada día que revivo nuestro cielo, cada día al cielo más me acerco.

Mañana, si el tiempo lo permite, apresuraré la primavera y plantaré los tomates de Jorge.

Dos veces se cerró mi vida antes de su cierre
Aún queda por ver
Si la Inmortalidad me devela
Un tercer acontecer

Tan enorme, tan imposible de concebir
Como éstos que dos veces sucedieron.
La despedida es todo lo que sabemos del cielo,
y todo lo que necesitamos del infierno.

EMILY DICKINSON, 1896